JULIEN GREEN

PIERRE BRODIN

JULIEN GREEN

CLASSIQUES DU XXe SIECLE
Editions Universitaires
115 rue du Cherche-Midi
PARIS

A DOROTHY

AVANT-PROPOS

Julien Green semble aussi éloigné qu'on peut l'être de la conception moderne de l'écrivain « engagé » : il ne fait pas de politique, ne signe pas de manifestes, ne se pose pas en augure ou en directeur de conscience des jeunes générations; il écrit des ouvrages « inactuels », en apparence détachés de toute temporalité, et refuse d'accorder aux réalités tangibles l'importance qu'il est usuel de leur conférer. Certains critiques — et particulièrement des Américains (mais nul n'est prophète en son pays, et surtout au pays d'Edgar Poe) voient en lui un romantique attardé, un « gothique », contemporain des romanciers « noirs » du début du XIXe siècle. Il y a un peu de vrai là-dedans... Et cependant, quand tout est dit, il n'est guère d'écrivains qui soient plus nettement de leur temps, de l'époque des Malraux et des Sartre, des Bernanos et des Camus. Dès 1929, Green notait dans son *Journal* : « Un livre digne de ce nom est toujours de son époque par l'esprit qui l'anime. Ce ne sont pas les descriptions de cheminées d'usines et de femmes à cheveux courts qui font qu'un livre est de 1928, mais bien ce qui fait le fond même de ce livre, son inquiétude, son besoin de révolte, etc. (1). » Les ouvrages de Green ont beau ne pas mettre l'accent sur les problèmes économiques et sociaux, ils ont tout de même, à bien des égards, une « vertu de choc » égale ou supérieure à celle de maints volumes d'écrivains dits « engagés ». Et, bien que l'analyse psychologique y soit peut-être moins fouillée, moins profonde que chez d'autres, la force de vision est telle que l'auteur réussit à nous

(1) *Journal I*, p. 11.

imposer l'univers qu'il a créé — ce qui est l'apanage des vrais écrivains, et des plus grands seulement.

Ce monde de Green aux couleurs surréalistes et existentialistes (mais dégagé de toute théorie, de tout *isme* littéraire), c'est celui de l'homme de notre temps, « étranger » dans une « situation » incompréhensible, « voyageur » solitaire en lutte contre le monde, contre l'existence, contre la destinée, contre la « condition humaine ». Tandis que l'avarice du père Grandet, la rébellion contre la société d'Emma Bovary (ou même de Thérèse Desqueyroux) n'étaient que des ressorts psychologiques, l'ennui qui ronge Adrienne Mesurat, les refoulements qui rendent atroce la vie de Mme Grosgeorge sont des ressorts métaphysiques. L'œuvre de Green est, malgré les différences apparentes, dans la ligne de Bernanos et de Sartre. Seulement, s'il ressent, comme le second, la « nausée » du monde *réel*, et l' « angoisse » existentialiste, il a aussi, comme le premier, la certitude triomphante d'une autre vie. Son œuvre est en définitive plus tonique, et, malgré la tristesse que lui inspire le spectacle de ce monde, foncièrement optimiste, à cause de son inaltérable espoir (« cet ingouvernable espoir qui m'a porté comme une vague puissante à travers tant de difficultés intérieures ») (1), de sa croyance dans le monde meilleur qui nous attend et aussi, à cause de son respect foncier des valeurs spirituelles, de sa confiance dans les ressources spirituelles de la créature humaine.

(1) *Journal VI*, p. 44.

CHRONOLOGIE

DE JULIEN GREEN

6 septembre 1900. — Naissance, à Paris (rue Ruhmkorff), de Julian Hartridge Green.

1907-1918. — Etudes au lycée Janson de Sailly.

27 décembre 1914. — Mort subite de Mrs. Green.

1916. — Abjuration du protestantisme par Julien Green.

Juillet 1917. — Baccalauréat.

Juillet 1917-mai 1918. — Service comme ambulancier bénévole sur les fronts français et italien (*American Field Service* et Croix-Rouge).

Mai 1918-printemps 1919. — Service dans l'armée française.

1919. — Premier départ pour l'Amérique.

1919-1921. — Etudes (et enseignement du français) à l'Université de Virginie.

1922. — Retour en France. Etudes de peinture à la Grande-Chaumière.

1924. — Débuts littéraires : *Pamphlet contre les Catholiques de France.*
Premiers contes *(Christine, Le Voyageur sur la Terre).*

1926. — Publication de *Mont-Cinère.*

1928. — *Adrienne Mesurat* obtient le Prix Bookman.

Novembre 1933-février 1934. — Second séjour aux Etats-Unis.

Avril-juillet 1937. — Troisième séjour aux Etats-Unis.

Eté à décembre 1939. — Quatrième séjour aux Etats-Unis.

Juillet 1940. — « Exil » aux Etats-Unis.

1940-1942. — Résidence à Baltimore *(Memories of Happy Days)*.

Août à fin décembre 1942. — Service dans l'armée américaine.

Janvier-décembre 1943. — Travail à l'*Office of War Information.*

1944. — Baltimore (Maryland) et Oakland (Californie) : cours et conférences sur la France.

Septembre 1945. — Retour à Paris.

1950. — *Moïra.*

1951. — Julien Green reçoit le Grand Prix littéraire de Monaco.

1953. — Débuts au théâtre : *Sud.*

1954. — *L'Ennemi.*

1956. — Publication du *Malfaiteur.*

— *L'Ombre.*

1960. — *Chaque Homme dans sa Nuit.*

CHAPITRE PREMIER

ASPECTS DE LA BIOGRAPHIE

L'hérédité n'explique pas tout ; il est utile, cependant, au seuil d'une étude de ce genre, de faire appel à cette notion. Le romancier d'ailleurs, nous y invite lui-même, et plus d'une fois. « Enfant, je supportais le poids de souvenirs qui n'étaient pas les miens », dit le narrateur de *l'Autre Sommeil.* (1) Parlant, dans son *Journal,* de plusieurs scènes où l'idée de la peur ou d'une émotion un peu forte semble liée d'une manière inexplicable à un escalier, Green note qu'enfant, il rêvait qu'on le poursuivait dans un escalier, que sa mère avait eu les mêmes craintes dans sa jeunesse et conclut qu'il lui en est peut-être resté quelque chose : « Chez bien des romanciers, j'en suis sûr, c'est l'accumulation de *souvenirs immémoriaux* qui fait qu'ils écrivent. Ils parlent pour des centaines de morts ; ils expriment enfin tout ce que leurs ancêtres ont gardé au fond d'eux-mêmes par prudence ou par pudeur (2). »

(1) *L'Autre Sommeil,* p. 49.
(2) *Journal I,* p. 137.

Ces ancêtres qui *parleraient* à travers son œuvre, ce sont des Anglais et des Américains avec une forte proportion, semble-t-il, de sang irlandais et écossais. Green se demande lui-même s'il ne doit pas attribuer à ses hérédités irlandaises ce qu'il y a en lui « d'impulsif, de rêveur, de charnel... d'instable », à l'apport écossais, ses crises religieuses, « son amour profond et invariable de l'Ecriture... » et cette « longue persévérance qui a presque toujours eu raison d'une paresse naturelle (1). »

Tous les ancêtres immédiats sont des Américains du Vieux Sud. Les racines de la famille, en effet, sont virginiennes et géorgiennes. Elles sont aussi calvinistes. Quelques-uns des aïeux de Green eurent des crises religieuses qui les menèrent à une anxiété voisine de la folie : « Il y a eu dans ma famille », écrit-il, « vers le milieu du siècle dernier, des cas de mélancolie aiguë, je dirais simplement de démence, dont la cause était cette idée de la prédestination telle que la conçoivent les Presbytériens (autant dire les Calvinistes) (2). »

Entre ces « neurasthéniques murés dans leurs idées fixes (3) » et leur descendant parisien, il n'y a eu que le « barrage moral » de parents extrêmement bons et équilibrés (4).

(1) *Journal II*, p. 164.
(2) *Journal VI*, p. 290.
(3) *Journal V*, p. 86.
(4) Aucun des deux parents de Green n'était un puritain étroit : Mr. Green, avant de se convertir au catholicisme, était, nominalement, un presbytérien, mais ne *pratiquait*

La maison familiale des Green était à Greenwich, près de Manassas, en Virginie. Edward Moon Green, le père de l'écrivain, naquit dans une propriété voisine de Greenwich. Nous retiendrons seulement quelques données de sa biographie. Il vint se fixer en France en 1895, cinq ans avant la naissance de Julien. Il représenta, d'abord au Havre (1895-1898), puis à Paris, entre 1898 et 1925, la *Southern Oil Cotton Company*. C'était un homme bon, tranquille, tolérant ; il était religieux, mais, dans ce domaine intime, un peu « secret » ; l'enfant ignora longtemps la conversion de son père au catholicisme.

Mrs. Green qui, aux yeux de son fils, représentait le *modèle de toute perfection*, était, comme son mari, profondément croyante. Elle lisait chaque jour à ses enfants un chapitre de la Bible, « dans la noble version du roi Jacques... Assis autour d'elle, nous écoutions sa voix rapide articuler sans défaillances les phrases tout à la fois brèves et majestueuses de ce vieux récit (1). »

Cette petite femme « mince, avec de très beaux yeux gris dans un visage rieur », légua peut-être à son fils quelque chose de son humour (2) et de son

(1) « Quand nous étions ensemble » (Œuvres Nouvelles, 1943), p. 17.

(2) L'humour de Green est très discret — si discret que la plupart des critiques ne l'ont point vu. Je leur conseille de lire, s'ils le peuvent, les *Memories of Happy Days*, malheureusement non encore traduites jusqu'à ce jour.

---

guère ; Mrs. Green appartenait à l'église épiscopalienne (anglicane), très proche du catholicisme.

tempérament imaginatif : « ... Elle tombait dans des rêveries qui la rendaient si sérieuse que pour l'en faire sortir nous la tirions par les bras... (1). »

Notons enfin l'intérêt de Mrs. Green pour le passé de son pays. Elle parlait souvent à son fils de cette guerre de Sécession « dont les échos avaient attristé son enfance (2) », qui était encore très *actuelle* pour ces expatriés, réfugiés dans l'histoire de leur pays (3), et qui sera pour le jeune Julien *une source inépuisable de mélancolie.* Une des choses, en effet, qui semblent avoir marqué l'enfance de Green, c'est la découverte qu'il fit qu'il appartenait à *un peuple battu, le Sud.* « Tristesse héritée (tristesse d'emprunt, me dira-t-on), mais qui n'a pas laissé d'avoir un effet certain sur ma manière d'être (4) ».

Julien était le benjamin de sept enfants. « L'aîné s'appelait Charles. Venaient ensuite Eléonore aux cheveux d'un rouge de chaudron, puis Mary, Anne, Retta et Lucy, et enfin moi (5). » Anne, la sœur préférée, était destinée à devenir, en Amérique, une bonne romancière de langue anglaise. C'est en collaboration avec Anne que Julien, pendant la Seconde

(1) *Idem,* p. 16.

(2) *Ibid,* p. 42. Voir aussi *Memories of Happy Days,* pp. 1, 26-29 et *passim.*

(3) Cf. *Memories of Happy Days,* p. 27 : « il me semblait que la guerre venait d'avoir lieu et que nous venions tout juste d'être battus... »

(4) *Journal VI,* p. 98.

(5) *Quand nous étions ensemble,* p. 11.

Guerre Mondiale, traduira en anglais l'essentiel de l'œuvre de Péguy (1).

Par Anne, également auteur d'un livre de souvenirs (*Mes Jours Evanouis*), et par les réminiscences de Green lui-même dans le charmant volume, *Memories of Happy Days*, nous connaissons un peu mieux ce que furent la jeunesse et l'adolescence de Julien. Cette enfance de Green doit être évoquée, ne fût-ce que brièvement. N'a-t-il pas dit lui-même : « Tout ce que j'écris procède en droite ligne de mon enfance (2) » et : « Je crois que si je perdais le souvenir de mes premières années, je ne pourrais plus tracer une ligne... L'enfant dicte et l'homme écrit (3) » ?

Cette période fut, autant qu'on en peut juger, normale et dépourvue de heurts. Les Green formaient une famille unie, heureuse. Ils ne semblent pas avoir connu de très graves problèmes financiers, mais vécurent de ressources modestes (4). « Mes parents étaient pauvres et de la pauvreté la plus pénible... celle qui se souvient des années d'abondance... mais à force de courage et de quelques privations, ils arrivaient à nourrir les enfants. » Ils avaient apporté avec eux, en 1895, leur mobilier, et l'enfant grandit dans un décor typiquement américain du Vieux Sud — décor presque entiè-

(1) *Basic Verities*, New-York, Editions du Panthéon, 1943, *Men and Saints*, New-York, Ed. du Panthéon, 1944.

(2) *Journal I*, p. 79.

(3) *Idem*, p. 224.

(4) Cf. *Quand nous étions ensemble*, p. 11.

rement fabriqué à Savannah (Géorgie) — aux alentours de 1850 (1).

Ils élevèrent leurs enfants très simplement et surent leur inculquer le goût d'une vie simple. L'homme mûr, arrivé, gardera toujours une certaine gêne vis-à-vis du luxe et du faste (2).

Comment était le jeune garçon ? Physiquement, il avait, nous dit sa sœur « une toison de cheveux châtains, de bons yeux couleur de café et un bon caractère. » Il donnait une grande impression de pureté et d'innocence. Longtemps, trop longtemps peut-être, il restera à l'abri des tentations (« ... j'étais tellement ignorant des choses de la chair qu'une bonne sœur m'en eût remontré. Le lycée ne m'avait rien appris. Cette innocence prolongée me paraît néfaste sous bien des rapports ; elle se paie presque toujours extrêmement cher plus tard (3). »)

Il était doux, sensible, aimait ses parents et particulièrement sa mère. Les psychanalystes, un jour, interpréteront sans doute son œuvre à la lumière de cette adoration filiale. Ils ne feront sans doute que confirmer ce que nous savions déjà. La sensibilité de l'adolescent, en tout cas, fut mise à rude épreuve

(1) Cf. *Memories of Happy Days*, pp. 1-2 : « les meubles étaient un objet d'étonnement pour les amis parisiens de mes parents, qui n'avaient jamais rien vu de pareil : fauteuils tarabiscotés, sofas longs et sinueux... spectacle horrible pour des yeux français, mais, pour nous, chef-d'œuvre de bon goût. »

(2) Cf. *Journal IV*, pp. 172-173.

(3) *Journal V*, pp. 28-29.

par la mort de Mrs. Green, pour laquelle il avait toujours été « inquiet qu'il ne lui arrivât quelque chose (1). »

Elle avait été très affectée par la guerre et mourut brusquement en 1914, deux jours après la fête de Noël : « La veille de sa mort, que rien au monde ne pouvait nous permettre de prévoir, ma sœur Retta était assise sur le sofa du salon. Comme elle regardait par la fenêtre, elle vit des hommes sur des échelles suspendre aux portes du jardin des draperies noires... Elle appela Anne plusieurs fois mais celle-ci ne vit qu'un jardin vide, par une après-midi grise (2). » Cette prémonition de Retta n'est pas un phénomène isolé de l'histoire de la famille Green. L'enfant, l'adulte, recevront à plusieurs reprises des « messages » non moins mystérieux et obscurs.

Le choc de la mort de Mrs. Green fut durement ressenti par l'enfant ; de cet événement data, en même temps qu'une brusque maturation, une sorte de traumatisme intérieur et, peut-être, la hantise de la mort, que seules les années devaient apaiser quelque peu.

Depuis longtemps, l'enfance de Green avait été peuplée d'une foule de rêves nocturnes et de rêveries

(1) *Journal I*, p. 210.

(2) *Memories of Happy Days*, p. 131. On trouvera dans le *Journal* de Green plusieurs autres exemples de visions ou de rêves prémonitoires.

diurnes. « Je rêvais, je parlais seul, choisissant pour ces monologues un coin de la chambre où il semblait que je fusse en conversation avec un personnage secret... (1) » Sa vie imaginative fut certainement très riche. Ce garçon, capable sans doute de rire aux larmes, mais sujet à des accès subits de mélancolie, était profondément sensible à la tristesse de l'univers, « la tristesse qui vient de ce que l'on existe, celle qui m'émouvait si profondément alors que j'étais enfant et que je regardais derrière une vitre se lever les étoiles ; leur scintillement me jetait dans une inexplicable mélancolie... : peut-être ce sentiment était-il déjà une émotion religieuse... (2). »

Il pouvait aussi ressentir, à l'occasion, des joies suprêmes et des bonheurs ineffables : « Ma quinzième année a été une des plus heureuses de ma vie, je ne me sentais pas sur terre (3). »

Toujours, l'enfant avait baigné dans un climat de religion, mais il arriva un moment où le protestantisme ne suffit plus à ses aspirations vers l'absolu. A seize ans, il abjura la religion protestante et se convertit au catholicisme. Son père, nous l'avons dit, l'avait précédé dans cette voie : « Un jour, je tombai sur un livre que je l'avais vu lire et relire... *The Faith of our Fathers* du Cardinal Gibbons. C'est, après celle des *Pensées* de Pascal qu'enfant je lisais à genoux, la lecture qui exerça sur ma pensée l'influence la

(1) *Quand nous étions ensemble*, pp. 15-16.
(2) *Journal III*, pp. 21-22.
(3) *Journal I*, p. 9.

plus décisive. Je manifestai le désir d'être instruit du dogme catholique... Je fus présenté à un prêtre qui procéda à mon éducation religieuse et fus baptisé quelque temps après (1). »

On peut se demander quelle influence la France a exercé sur la formation de ce petit Américain tendrement élevé par une famille américaine qu'il aimait et respectait. Certes, il se sentait différent de ses camarades : « Enfant, je voulais être comme les autres, et n'y réussissais pas... bref, j'étais une gourde. Parmi tous ces petits Français malins, j'étais seul ; il m'en est resté quelque chose... (2) » Cependant l'influence de la France avait commencé, depuis longtemps, à s'exercer sur l'enfant. Elle devait être immense.

Les études françaises, abordées de très bonne heure (dans la classe de dixième du lycée Janson-de-Sailly), ont été déterminantes. L'enfant a aimé ses classes, ses maîtres (« quand j'avais douze ans, M. Mougeot me paraissait l'homme le plus savant du monde... son admiration pour Victor Hugo était telle et il nous parlait de lui si souvent que dans mon esprit, M. Mougeot et le poète en arrivaient à ne plus faire qu'une seule personne (3). »)

L'écrivain répétera fréquemment qu'il a conservé

(1) Interview de J. Green par Gabriel d'Aubarède, (*Nouvelles Littéraires*, 4 mars 1954).
(2) *Journal VI*, p. 99.
(3) *Journal I*, pp. 78, 79.

de ces années de collège un grand respect pour ses professeurs : « Il me semble que la France de ce temps-là n'avait rien de plus honnête, de plus sérieux ni de plus désintéressé que le corps enseignant. Si différents qu'ils fussent les uns des autres, mes professeurs avaient en commun ce que je n'ai pu démêler qu'avec le temps : c'étaient des idéalistes (1). » Il aima, sinon Descartes, du moins l'ordre et la grandeur de la culture française, auxquels, arrivé à l'âge adulte, il ne cessera de rendre hommage. « En relisant les *Cérémonials* de Mallarmé, je me suis demandé si la seule nation moderne digne de donner la main à la Grèce de Platon n'était pas la France (2). »

Maintes et maintes fois, Green s'est exprimé, avec la plus grande netteté, sur la dette qu'il a contractée à l'égard de la culture française : « On dit quelquefois que les deux grandes influences littéraires dans ma vie ont été Poe et Hawthorne. *C'est compter pour rien les dix-huit premières années que j'ai passées en France et qui m'ont façonné* (3). »

La culture française, certainement, par sa logique

(1) *Journal I*, pp. 157, 158.

(2) Cf. *Journal III*, p. 46. Voir aussi *Memories of Happy Days*, pp. VII-VIII : « La France a été et demeure indispensable à la civilisation de la race blanche... Avec toutes ses faiblesses humaines, la France possède une qualité de grandeur que l'infortune ne pourra jamais lui arracher... etc. »

(3) *Journal VI*, p. 75.

et sa discipline, l'aida à « établir une sorte d'équilibre entre des éléments contraires (1). »

Ce n'est qu'en 1919, après avoir été « exposé » pendant près de deux ans aux « réalités » et aux horreurs de la guerre (bombardements, rats, tranchées, cadavres, etc.), que Green part pour l'Amérique. Entre temps, il a songé à s'enterrer dans un monastère, puis renoncé au « Moyen Age » pour entrer dans une sorte de « Renaissance » (2).

Il a aussi pensé à devenir peintre, choisissant — déjà — le Greco pour modèle (3).

A l'université de Virginie, il passera près de trois ans, étudiant surtout le latin, le grec, l'anglais et commençant avec un juif polonais cette étude de l'hébreu qu'il reprendra douze ans plus tard et qui ne cessera de le passionner. C'est à Charlotteville que Poe avait fait ses études : « De mon temps », raconte Green, « on y avait gardé intacte la chambre que Poe occupa... On m'en donna la clé un jour et je fus très impressionné par la nudité de cette pièce qui ressemblait à une cellule religieuse. Mais on m'expliqua que Poe brûlait systématiquement ses meubles dans la cheminée. Je n'ai jamais su si c'était par délire alcoolique ou crainte du froid (4). »

(1) *Journal II*, p. 164.
(2) *Journal III*, p. 84.
(3) Cf. *Memories of Happy days*, p. 197. « Après de longues méditations, j'avais décidé que le Greco serait mon modèle. »
(4) *Revue de Paris*, juin 1951, p. 153.

Ces années de Virginie ne furent certainement pas une période de félicité parfaite. Le jeune homme avait la nostalgie de Paris : « J'y pensais sans cesse, au lieu de profiter de tout le bonheur qui m'était offert. J'étais amoureux et sauvage, et je me rendais malheureux à plaisir. Est-on jamais plus sot qu'à cet âge ? Je ne faisais rien pour décourager ma propre tristesse, je la cultivais plutôt. » Le temps n'était pas encore venu de la faire passer dans des livres (1).

Green, cependant, écrivait des nouvelles (« avec une facilité que je n'ai jamais retrouvée depuis. Elles devaient être fort mauvaises (2). ») Il en publia une, intitulée *L'Apprenti psychiatre*, dans le magazine de l'université de Virginie, en mai 1920. Cette œuvre à demi manquée contient pourtant déjà — et c'est la seule raison que nous ayons ici de la mentionner — plusieurs des ingrédients de l'œuvre future (introversion, folie, tragédie). *L'Apprenti psychiatre* est le premier récit que Green ait fait imprimer et sa première et unique œuvre d'imagination écrite directement en langue anglaise. Il la renie complètement aujourd'hui et elle n'a guère plus, à vrai dire, qu'un intérêt de curiosité (3).

Green revient à Paris en juillet 1922. Il a renoncé à l'idée un moment caressée de continuer dans l'en-

(1) *Journal II*, p. 89.
(2) *Journal II*, p. 173.
(3) On trouvera un résumé du conte dans l'article de I. W. Brock, « Julien Green » *The French Review*, March 1950, pp. 355-356).

seignement une carrière amorcée à l'université de Virginie. Il a l'intention d'étudier sérieusement la peinture. Pour ce faire il va fréquenter, avec beaucoup d'assiduité, l'atelier de la Grande-Chaumière. Au bout de six mois, cependant, il abandonne son projet : ses efforts ne l'ont point satisfait, il *sait* qu'il ne peut pas peindre comme il le voudrait.

C'est alors, en 1923, qu'il commence à écrire quelques études sur des auteurs anglais : Johnson, Blake, Lamb, Charlotte Brontë. Ces trois derniers choix sont particulièrement intéressants à la lumière de l'œuvre future : William Blake est un solitaire, un visionnaire ; Lamb a passé quelque temps dans l'asile de fous de Hoxton, et sa sœur Mary a tué leur mère dans une crise de folie ; Charlotte Brontë « regardait de loin, à travers ses lunettes, un monde dont elle s'était presque retirée (1). » Ne dirait-on pas des personnages empruntés à l'univers romanesque de Green ? En fait, il est bien probable qu'ils ont aidé à la construction de cet univers, et que l'auteur de *Suite Anglaise* s'est porté tout naturellement vers des figures qui le fascinaient, sans doute parce qu'il possédait avec elles de remarquables affinités.

Les problèmes religieux, cependant, ne laissaient point de préoccuper le jeune écrivain. A plusieurs reprises, il avait eu ce qu'il appelle des « crises de piété (2). » En 1924, il entre dans l'arène de la con-

(1) *Suite Anglaise*, p. 169.
(2) *Journal I*, p. 5.

troverse religieuse et publie, sous le pseudonyme de Théophile Delaporte, un *Pamphlet contre les catholiques de France,* défense du catholicisme contre les « bien-pensants ». Ce n'est pas une profession de foi, mais, dira-t-il à Gide, « l'expression de ce que je demande aux catholiques (1) ». Plus tard, Green écrira du *Pamphlet* : « Je crois que lorsque j'ai écrit ce petit livre, la foi s'obscurcissait dans mon cœur et j'essayais de retenir de force ce que je sentais bien qui m'échappait malgré moi (2). » Il est probable, en effet, que des luttes intérieures ont déchiré le jeune homme vers cette époque. Toujours son âme ardente sera un champ de bataille entre les forces du « Bien » et celles du « Mal », entre l'appétit spirituel et l'appétit charnel, entre le mystique, avide d'immobilité, et l'homme qui a « d'immenses aspirations vers les bonheurs de ce monde (3). »

Mais, bien que des « malentendus » et des « difficultés spirituelles » le séparent de l'Eglise entre l'époque du *Pamphlet* et la veille de la Seconde Guerre Mondiale, bien qu'il soit assez indépendant vis-à-vis de la stricte orthodoxie et étudie, à l'époque de *Varouna,* avec un peu trop de faveur les religions de l'Inde, il reste, quoi qu'il en dise, dans l'orbite du catholicisme, et sera même classé, aux yeux du

(1) *Idem,* p. 13.
(2) *Journal III,* p. 47.
(3) *Idem,* p. 10.

monde extérieur, comme un écrivain catholique (1).

La foi, d'ailleurs, lui a toujours paru un idéal préférable au « *néant* » : « Si j'ai jamais pris quelque chose au sérieux, c'est la religion. Elle me tient à cœur beaucoup plus que vous ne sauriez le croire ; elle rejoint pour moi l'amour, puisqu'elle est principalement l'amour. Le reste, tout le reste, si brillant, si séduisant soit-il, ne m'a jamais paru que du néant, même quand je cédais à l'attrait de ce néant (2). »

Au printemps de 1939, il subit une nouvelle crise (au milieu de la composition de *Varouna*, dont les dernières parties ont été raccordées tant bien que mal à l'inspiration hindouiste du début) et retourne complètement, sans restrictions, à l'Eglise. Cette conversion lui donnera de très grandes joies, la « joie folle des convertis » qui « se croient enfin au port (3). »

Green n'a jamais fait de politique. Certes, il s'intéressait aux événements, et il ne cachait pas à ses amis, à son *Journal*, à quel point le spectre d'une guerre inévitable le hantait, mais il détestait les besognes électorales, et la duperie des programmes offerts à un public *gobeur* et constamment trompé : « ... Dans les programmes qu'on nous offre », écrivait-il en novembre 1932, « je ne trouve rien de bon

(1) Cf. *Journal II*, p. 13 (avril 1929) : « Un peu plus tard, je lui parle de la gêne que j'éprouve à être rangé parmi les écrivains catholiques. »

(2) *Journal IV*, p. 174.

(3) *Journal VI*, p. 24.

pour moi. Se dire révolutionnaire et vouloir se faire tuer pour un gouvernement qui a ses mouchards, ses provocateurs, ses bureaucrates, comme tous les gouvernements bourgeois, à quoi cela rime-t-il ? Non, plus j'y réfléchis et mieux je comprends qu'un écrivain libre n'a pas sa place dans l'Europe telle qu'elle est en train de se constituer (1). » Plus tard, Gide, après le *Retour de l'U. R. S. S.*, le félicitera « de n'avoir point voulu choisir entre le communisme et le fascisme » puisque, dit-il d'une voix un peu triste, c'est la même chose. » Et il ajoute : « Vous êtes *apolitique*. Restez-le (2). »

Refusant de « s'engager », Green, pendant tout l'entre-deux-guerres (et au delà de cette période), n'appartient à aucun groupe, parti ou chapelle. Il a conservé ses habitudes studieuses, écrit et lit avec régularité ; en 1928, il a commencé à tenir un *Journal*.

(1) *Journal I*, p. 113.
(2) *Journal II*, p. 76.

CHAPITRE II

INFLUENCES

Plutôt que d'influences, il faut parler des *nourritures* spirituelles de l'œuvre. Ces nourritures sont de plusieurs ordres : voyages, amitiés, musique, peinture, et surtout lectures, car « il existe... un rapport secret mais indéniable entre l'œuvre et les livres dont l'écrivain se nourrit, comme entre ce que nous mangeons et notre corps (1). »

Green a beaucoup voyagé (et certainement pas en *touriste*), beaucoup observé — les choses, peut-être, plus que les hommes. Il ne décrit guère les paysages, mais il les *sent*. Nous trouvons dans son *Journal* d'admirables notes, esquisses ou réflexions à propos de séjours au Danemark, en Belgique, en Hollande, en Allemagne, en Autriche (Salzbourg), en Suisse (Genève, *une ville bleue et argent*), en Angleterre, en Scandinavie, etc. Il suffit à l'écrivain de quelques mots pour ressusciter, à nos yeux, une grande rue de Salem ou de vieilles maisons coloniales. Il a visité

(1) *Journal II*, p. 133.

l'Italie qu'il aime, le Maghreb (celui d'Oscar Wilde et d'André Gide), et rêvé sous les ciels méditerranéens, mais les pays du Nord surtout l'attirent : « La vue d'une mer aux eaux laiteuses ou d'un bois de bouleaux agit sur moi avec une force extraordinaire. La beauté, pour moi, est avant tout nordique (1). » « ... Ma vraie patrie est au Nord, rien ne me rend le cœur plus léger que de voir une rangée de bouleaux sous un ciel gris (2). »

Les amitiés ont tenu une grande place dans la vie de Green : « Dieu ne nous a-t-il pas donné de voir parfois des traces de l'invisible dans les yeux de ceux que nous aimons ? (3) » Quelques amis choisis sont à mentionner : Robert de Saint-Jean, Jacques Maritain, André Gide, le Père Couturier. Il y aurait sans doute un livre à écrire sur les rapports de Gide et de Green. Nous pouvons entrevoir ce que fut cette amitié de plus de vingt ans par les *Journaux* des deux écrivains. Rapports de « camaraderie » et de compréhension affectueuse entre deux êtres égaux, au moins dans la courtoisie, et respectueux de leur indépendance. Certes, Gide fit quelques efforts (missionnaires) pour ramener Green à l'incroyance (« Mon retour à

(1) *Journal VI*, pp. 12-13. Le type nordique lui plaît également plus que le type méditerranéen. Il cite, par exemple, la phrase de Tacite sur la *beauté* des Germains (*Journal VI*, p. 17), et il n'est pas douteux qu'il la reprenne à son compte.

(2) *Journal II*, pp. 7-8.

(3) *Journal VI*, p. 294.

l'Eglise fut pour lui une manière de scandale dont il ne prit jamais son parti... Il y eut un Cap des Tempêtes que notre amitié fut obligée de doubler à plusieurs reprises. » Mais Green sut résister et resta l'ami de Gide. Celui-ci toujours l'encouragea dans la voie de la sincérité : « Ce qui m'attachait à lui plus encore que ses dons était une fidélité presque fanatique à l'idée qu'il se formait du vrai (1). »

Non moins importante a été l'amitié d'un Dominicain intelligent et artiste, sensible, brusque, affectueux, le Père Couturier (lequel, par parenthèse, trouvait Sartre courageux, admirait Gide et défendait qu'on en dît du mal devant lui). Cet être unique, ce véritable « saint » pensait que le grand danger de la vie religieuse était « l'embourgeoisement spirituel (2) ». Green confesse ne pas avoir toujours suivi ses conseils (du point de vue strictement littéraire, il semble que le Père Couturier n'ait pas encouragé Green dans ses ambitions théâtrales), mais il eut pour lui une affection profonde et constante.

Plus que les vivants pourtant, Green fréquente les hommes du passé. Il a énormément lu (une moyenne de soixante pages par jour, estime-t-il dans son *Journal*) (3) et « rêvé sur des livres » (4), de préférence sérieux ou austères. Ses lectures sont vastes et variées. Il « butine » constamment plusieurs volumes,

(1) *Journal VI*, pp. 76-77.
(2) *Journal III*, p. 165.
(3) *Journal VI*, p. 315.
(4) *Journal III*, p. 12.

en emporte fréquemment au moins une demi-douzaine en voyage. La Bible tout d'abord, qu'il a connue de bonne heure et qui a exercé sur lui une influence profonde, déterminante (« sans cesse lire la Bible pour empêcher que ne s'obscurcisse en nous l'image de la vérité (1). ») C'est pour mieux la comprendre qu'il a voulu se perfectionner dans le langage hébraïque. (« ... Longues lectures de la Bible en hébreu. Depuis plusieurs mois, je ne puis penser à autre chose qu'à ce livre, dont je subis volontiers l'envoûtement. Ces richesses immenses ne seront sans doute jamais épuisées et nous commençons à peine à les entrevoir. Cependant, elles sont à nous tous, elles constituent la dot de l'humanité pour ses noces spirituelles... Méfions-nous toutefois de la fausse monnaie des traducteurs... (2) ». Il a lu aussi et médité saint Paul (3), saint Jérôme, saint Bernard (« ce grand brasier (4) »).

Il connaît les vieux auteurs du Moyen Age et ceux de la Renaissance, Shakespeare, « le plus grand créateur que la terre ait jamais vu (5) », et les Elizabéthains, « dont la sensualité est la seule qui m'ait jamais paru authentique (6) », les poètes romantiques anglais, Shelley et surtout Keats, qu'il admire depuis son enfance et qui a été, certainement, une de ses grandes nourritures spirituelles.

(1) *Journal VI*, p. 125.
(2) *Journal II*, p. 77.
(3) *Journal I*, p. 5.
(4) *Journal VI*, p. 89.
(5) *Journal IV*, p. 169.
(6) *Journal VI*, p. 54.

Parmi les écrivains américains, quatre semblent avoir exercé une attraction sur lui : Hawthorne, Poe, Emerson et, tardivement, Faulkner.

Hawthorne — dont il a reconnu l'influence (1) — est peut-être l'écrivain le plus proche de Green. Comme lui, il croit à la fatalité du mal, comme lui, « il donne l'impression d'avoir fait de longues promenades dans l'invisible ». Cependant Green reproche à ce « puritain homme de lettres » de nous entretenir trop souvent « de son potager... La vie de cet écrivain, vie studieuse, est teintée d'ennui, de mélancolie, avec des joies sévères pour quelques beautés que je ne discuterai pas, mais son goût de la sécurité morale et du confort spirituel me gêne (2). »

Sur le poète du *Corbeau*, Green n'accepte pas le jugement de ses compatriotes, injuste vis-à-vis de Poe (comme il l'est, en général, vis-à-vis de Green).

(1) Sur l'influence de Hawthorne, on consultera avec profit l'étude de L. Clark Keating, « Julian Green and Nathaniel Hawthorne » (*The French Review*, may 1955, pp. 485-492). M. Keating voit dans plusieurs romans de Green des réminiscences de Hawthorne. Ainsi : « la terreur d'Adrienne Mesurat contemplant le cadavre de son père fait écho à celle d'Hepzibah après la mort du juge et le moyen par lequel Adrienne tente d'échapper à sa douleur et à son tourment est le même... Elle s'enfuit, prend un train, s'arrête à une station quelconque et y reste figée dans une douleur abjecte, comme avait fait Hepzibah... » Les rapprochements de M. Keating sont ingénieux, mais ses conclusions manquent de conviction. M. Keating, d'ailleurs, condamne Green pour avoir quitté le terrain solide du réalisme pour s'évader dans le royaume de la fantaisie.

(2) *Journal III*, pp. 126-127.

« Sans doute, les lecteurs d'ici le trouvent morbide et il déplaît à l'Amérique d'être représentée par un poète aussi malsain. Elle le répudie avec d'autant plus de force qu'elle porte en elle ce déséquilibre dont le génie de Poe est comme la fleur ténébreuse, le grand lis nocturne entre les doigts de la Mort (1). » Il nie que Poe ait exercé la moindre influence sur lui (2). Et c'est vrai. Mais le rapprochement entre ces deux écrivains *surréalistes* et nécrophiles, un peu inquiétants pour le bourgeois américain, était inévitable.

A propos d'Emerson, le « philosophe du désespoir tranquille », Green écrit : « Relu *The Over Soul.* Il y a des phrases si belles qu'elles sembleraient devoir faire changer la vie... Il dit que l'homme est un fleuve dont la source est cachée. Magnifique. Cette source échappe à la psychanalyse (3). »

D'un livre de Faulkner, il loue l'« intensité extraordinaire ». « Pas l'ombre de rhétorique, pas une phrase qui ne porte. Je l'ai dévoré en deux jours, relisant certains passages afin d'être sûr d'en avoir extrait tout le suc. On ne peut se permettre de sauter un mot (4). »

Dans la littérature française, Green apprécie particulièrement Pascal, Racine, Baudelaire (dont il aime tous les vers, même ceux qu'on juge plats, *parce que,*

(1) *Journal III,* p. 57.
(2) *Cf. Journal VI,* p. 53.
(3) *Journal VI,* p. 70.
(4) *Journal VI,* p. 4.

dit-il, *j'y retrouve le son de sa voix*) (1), Balzac (*Le Lys dans la Vallée*) (2), Léon Bloy (qui se promène dans les régions surnaturelles « comme sur une grande route en y faisant sonner ses souliers à clous ») (3), Claudel, Bernanos (« On y sent la chaleur toute-puissante du feu, présence indiscutable et qui foudroie la raison. Les autres catholiques n'ont pas cela ») (4), Malraux, à qui « l'on n'a jamais pu faire accepter de la fausse monnaie (5) ». Parmi les autres lectures, les poètes religieux (Milton, Donne, Herbert, Crashaw), les « grands réveilleurs » (Wesley), les écrivains « humains » (Tchekov) et surtout les mystiques occupent une place importante : « Je lis les mystiques comme on lit les récits de voyageurs qui reviennent de pays lointains où l'on sait bien que l'on n'ira jamais (6). »

Un homme se définit aussi par ce qu'il n'aime pas. Les auteurs qui rebutent Green, ce sont les écrivains « parfaits », Stendhal, trop « étudié » dans *Henri Brulard*, Mérimée, trop élégant, trop satisfait de soi, Flaubert, trop travaillé dans ses romans (mais humain dans ses *Lettres*), Maupassant, pas assez sérieux.

(1) *Journal VI*, p. 160.

(2) Il y a peut-être des réminiscences balzaciennes dans *Adrienne Mesurat*, où une des situations fait songer à *Albert Savarus*.

(3) *Journal V*, pp. 14-15.

(4) *Journal VI*, p. 260.

(5) *Journal VI*, p. 132.

(6) *Journal III*, p. 74.

Le *Journal* de Green trahit sa constante préoccupation artistique. Cet homme qui aurait voulu « savoir dessiner avec force (1) », qui a fait des études de peinture assez poussées, a aussi beaucoup fréquenté les musées : « Je vais au Louvre presque tous les jours depuis plusieurs années... Ma dette envers le Louvre est immense... J'ai l'impression d'avoir été nourri et élevé par lui (2). »

En peinture comme en littérature, il se défie des virtuoses, estime — et c'est ce qui, par exemple, le gêne en présence d'une toile de Manet — qu'une certaine « gaucherie est la marque des œuvres sincères (3). » Parmi les peintres, il aime Di Giorgio et l'Ecole de Sienne qui le fait pénétrer dans les « contrées du rêve », Vinci, dont la *Joconde*, elle aussi, « crée l'illusion du rêve (4) », Le Nain, Poussin, Delacroix, pour sa violence, son « appétit de souffrance (5) », Van der Weyden (« Le Christ vêtu de noir, aux yeux noyés » (6). Le Greco, le peintre des fous et des « possédés », un mystique et un « visionnaire » comme Green, est son peintre préféré (7).

(1) *Journal II*, p. 198.
(2) *Journal I*, p. 67.
(3) *Journal I*, p. 193.
(4) *Journal I*, p. 67.
(5) *Journal I*, p. 25.
(6) *Journal I*, p. 17.
(7) Cf. *Journal II*, p. 108 (à propos du tableau qui représente le Christ à la tête entourée d'un losange de lumière, « un Christ de vision »). Le critique espagnol Gregorio

Enfin, la musique a toujours été importante pour lui. Elle a été, autant que la peinture, mêlée à son art, à sa vie. Il a beaucoup aimé Wagner, dans sa jeunesse. Plus tard, cependant, le compositeur du *Crépuscule* lui est devenu « mystérieusement extérieur, quelque admiration qu'il provoque, quelque étonnement ». D'ailleurs, Wagner est trop abondant (1). Par contre, la moindre chanson de Schumann émeut Green, le « prend à la gorge ». Mais surtout, la musique de Bach l'étreint par « la forme, l'architecture, la réflexion... » C'est « comme une invasion de l'âme par la foi... » « En écoutant la *Cantate* 32..., j'ai compris à quel point l'invisible est près de nous, si nous ne le repoussons pas. La première fois que j'entendis cette cantate, vers 1926, elle me troubla si profondément que j'entrevis la nécessité de changer ma vie entière... Impossible de dire le rôle que Bach aura joué dans ma vie. C'est lui surtout qui m'a réconcilié à l'idée de mourir (2). »

La musique religieuse lui est chère et surtout celle qui transporte dans le monde de l'absolu. D'une façon générale, il aime à trouver dans la musique le « sens du divin (3). » Les modulations des *Ténèbres* de Couperin, « extraordinairement sévères et belles,

(1) *Journal VI*, p. 4.
(2) *Journal VI*, pp. 4, 69, 204.
(3) *Journal II*, p. 189.

Maranon a montré récemment que le Greco avait utilisé comme modèles des fous, c'est-à-dire des « possédés » de Dieu...

vont jusqu'au fond de l'âme, écartent le monde des sens, vous rendent à Dieu pendant quelques minutes (1). »

De même que dans les livres, Green cherche dans la musique l'invisible, le surnaturel et parfois, en écoutant une œuvre particulièrement belle, il a « l'impression délicieuse de la proximité d'un autre monde. Derrière le voile impalpable, il est là, le monde de la vérité, ce royaume de Dieu qui m'intriguait tellement quand j'étais enfant (2). » « ... Je me demande si ce n'est pas par la musique que nous entrons le plus facilement en contact avec nous-mêmes, avec cette partie secrète de nous-mêmes que le monde nous cache, avec Dieu peut-être (3). »

Telles sont les sources principales auxquelles s'alimente le génie de l'écrivain.

(1) *Journal VI*, p. 264.
(2) *Journal II*, p. 47.
(3) *Journal II*, p. 116.

CHAPITRE III

LE MONDE DES APPARENCES

Du *Voyageur sur la Terre* (1927) à *Moïra* (1950) et au *Malfaiteur* (1956), Julien Green a écrit une douzaine de romans qui offrent une unité remarquable : dans chacun d'entre eux, les personnages sont affectés beaucoup moins par ce qu'on est convenu d'appeler les réalités quotidiennes que par les « forces inconnues », mystérieuses et surnaturelles, auxquelles ils sont en proie.

L'écrivain, cependant, comme la plupart des grands romanciers de tous les temps, construit son œuvre à partir du monde dit réel. Son premier volume, *Le Voyageur sur la Terre,* fut d'abord une sorte d'autobiographie ; « ce n'est que peu à peu que l'élément surnaturel s'y glissa (1). » Quelques-uns de ses romans, offrent un décor si fortement charpenté et fait de matériaux si réalistes que certains lecteurs hâtifs (voire même quelques critiques) ont pu s'y méprendre et considérer, par exemple, *Adrienne*

(1) *Memories of Happy Days*, p. 164.

Mesurat, comme un tableau de mœurs provinciales. (Une étude des « milieux catholiques de la province française », lit-on dans un *Guide*, par ailleurs fort estimable, de la littérature française moderne.)

Bien que Green ne soit pas un romancier réaliste au sens ordinaire du mot, il sait peindre le *réel* et ne s'en fait pas faute. Il est d'ailleurs parfaitement conscient des nécessités du roman à cet égard : au cours de la composition de *Si j'étais Vous*, il note dans son *Journal :* « Je crois qu'il est nécessaire, dans un roman de ce genre, qu'il y ait un très fort dosage de réalisme, que le vrai fasse passer l'imaginaire et que le vrai soit d'autant plus exactement vrai que l'imaginaire fait violence au vraisemblable (1). »

Green, à cet égard, nous fait songer à Swift et à Balzac, dont les tableaux — qu'il s'agisse des *Voyages de Gulliver* ou de *La Peau de Chagrin* — deviennent de plus en plus minutieusement précis chaque fois qu'ils abordent le surnaturel.

Les décors, les atmosphères des romans de Green sont donc, sur un certain plan, extrêmement *réels*. Si leur vérité s'impose souvent avec force aux lecteurs, c'est en grande partie à cause de leur authenticité. Il arrive parfois au romancier de s'inspirer, lorsqu'il trace les premières lignes de son œuvre, du tableau d'un artiste (2), mais plus fréquemment,,

(1) *Journal IV*, p. 165.

(2) Cf. *Journal II*, p. 224 (à propos d'*Adrienne Mesurat*, commencée par le romancier avec la photographie, sous les yeux, d'une peinture d'Utrillo). Mais même ici, c'est

il tire ses descriptions de sa propre expérience, de sa mémoire des *choses vues*, d'observations enregistrées dans son subconscient.

La maison du *Voyageur sur la Terre* c'est, trait pour trait, celle d'une tante de Savannah qui, après avoir lu le livre, la reconnut aisément : « Tout y est », lui écrivit-elle, « le clocher de l'église qu'on voyait de ta fenêtre, les chants du dimanche que nous écoutions dans la salle à manger, les fauteuils qu'on installait sur le porche trop étroit, enfin tout... » « Mémoire inconsciente », murmurai-je lâchement. « Et puis, il y a mon père », poursuit-elle. « Comment diable t'es-tu souvenu qu'il butait toujours dans la première marche de l'escalier ? (1) » Les « tristes promenades, le cœur battant sous les grands chênes drapés de leur voile de mousse, les longues insomnies dans la nuit étouffante (2) », sont également passées dans l'œuvre romanesque.

La toile de fond de *Mont Cinère* est, en partie, celle de la maison de parents américains visitée par l'étudiant de l'université de Virginie pendant les vacances de Noël, en 1919 (3). Il est vrai que, sans doute pour

(1) *Journal I*, pp. 201-202.
(2) *Journal I*, pp. 61-62.
(3) Cf. *Journal II*, pp. 101-102. « Cette maison s'appelait en réalité Kinloch et appartenait à mon oncle Turner... Par les fenêtres, on apercevait les collines bleues... Comment

---

qu'il faut à l'auteur, pour pouvoir commencer son livre, « un *objet* à regarder », une image... à laquelle il puisse se référer.

se rafraîchir la mémoire, le romancier avait sous les yeux, en commençant à écrire, une photographie d'intérieur — également du Vieux Sud — prise à Savannah en 1880 ; on y voyait, « au milieu d'un salon d'aspect modeste, une table ronde recouverte d'un tapis, et, sur cette table, un livre fermé ; des fauteuils au cuir déchiré ; sur la cheminée, un baromètre ; et de chaque côté de la porte de grands rideaux solennels... (1) » Les personnages, le roman, sont sortis de ces *réalités* concrètes.

Le cadre de *Moïra*, très précis dans l'espace et dans le temps (l'action se déroule dans une université du sud des Etats-Unis aux environs de 1920) a certainement été suggéré par celui de l'université de Virginie, où Julien Green étudia vers l'époque où Joseph Day est supposé le faire. La petite ville méridionale endormie dans sa vallée, avec ses maisons à colonnes blanches, ses sycomores qui rougeoient à l'automne, les pelouses vertes de son *campus*, ses traditions, ses préjugés, etc. vit aussi intensément que n'importe quelle création de nos meilleurs romanciers réalistes.

(1) *Journal II*, p. 224 et *Memories Happy Days*, pp 303-304.

---

ai-je pu donner cette belle maison à une famille d'avares ? Je ne savais où fourrer mes personnages, et d'autre part, il y avait ce décor qui me tentait. » L'incendie de Mont Cinère a peut-être été suggéré par l'incendie de la maison familiale de Virginie, The Lawn (cf. *Memories of Happy Days*, pp. 216-217).

Les décors français ne sont pas moins authentiques. Les promenades nocturnes du triste héros d'*Epaves* dans les rues de Paris, Green les a faites maintes et maintes fois, aux environs de sa vingt-cinquième année. « ... Le jour décline. C'est l'heure où, voici plus de vingt ans, il m'était impossible de rester chez moi. Je quittais ma chambre dès que s'allumaient les premiers réverbères de ma rue. Ces interminables promenades d'où tant de mes livres sont sortis... (1). »

Parmi tant de sensations éprouvées et rendues par l'auteur, il faut faire une place toute particulière à celles de son enfance (la maison « hantée » de la rue de Passy, le placard du Diable, les craintes superstitieuses de l'enfant et ses terreurs nocturnes sur les marches de l'escalier de la maison de campagne d'Andrésy) (2), et aux bruits et atmosphères de ce quartier de Passy où l'auteur a vécu la plus grande partie de sa jeunesse : « ... L'été, par la fenêtre ouverte, nous arrivait le fracas de l'omnibus qui s'en-

(1) *Journal VI*, p. 91. Cf. *Journal IV*, p. 165 : « Les promenades nocturnes le long de la Seine ou des Champs-Elysées, les réverbères luisant dans les marronniers, etc. »

(2) Cf. *Memories of Happy Days*, p. 81 : L'enfant attendait, chaque soir, assis sur une marche d'escalier, que ses parents montassent à leur tour se coucher. « Seul un enfant peut éprouver pleinement ce que cela veut dire d'imaginer qu'on entend ou qu'on voit quelque chose qui bouge ou respire dans le noir. Telle fut mon expérience chaque soir, et à cela seul puis-je attribuer cette étrange prédominance donnée aux escaliers dans la plupart de mes romans, en connexion avec toute grande détresse d'esprit subie par mes personnages... »

gouffrait dans la petite rue Guichard (1). » « ... J'ai entendu le cri des bateaux sur la Seine, j'ai respiré l'odeur de ses arbres et de sa fumée et des centaines de visages ont arrêté leurs regards sur moi (2). » Ce cadre de Passy ainsi que le décor louis-philippard d'une pension de famille de la rue de la Tour (3) sont passés dans *Epaves*, un des romans préférés de Green, un de ceux, sans doute, qui sont les plus ancrés dans une réalité observée. Le jardin du Cours Sainte-Cécile, rue Singer, à Passy, est également passé dans *Le Visionnaire* (4).

Dans *Adrienne Mesurat*, le milieu provincial est évoqué avec une exactitude presque photographique : Adrienne n'est pas seulement plaquée sur sa province avec autant de force qu'Emma Bovary ou Thérèse Desqueyroux sur leurs domaines de Normandie ou d'Aquitaine. Elle est également « engluée » dans un milieu aussi « nauséabond » que celui du Bouville de Sartre dans *La Nausée* : les concerts publics de mauvaise musique dans le kiosque de la Grande Place, l'architecture rocaille, bourgeoise, de la villa des Charmes, les horribles meubles de son intérieur, les mœurs réglées de ses habitants, tout cela forme un admirable cadre réaliste à l'histoire des amours

(1) *Journal I*, p. 237.

(2) *Journal III*, p. 37.

(3) La pension Mouton, où les Green habitèrent au début de la guerre. Green déclare qu'il l'a décrite « aussi exactement que j'ai pu » (*Memories of Happy Days*, p. 123).

(4) *Journal VI*, p. 322.

malheureuses d'Adrienne Mesurat et conditionne en quelque sorte l'évolution de sa psychose.

Les tableaux de la province ont presque toujours, chez Green, une précision et une vérité balzaciennes. Ainsi, dans *Minuit*, l'auteur nous fait entendre le bruit de pas éveillant, derrière les fenêtres, les curiosités oisives, nous montre les bords des rideaux se soulevant doucement (1). Ailleurs, le romancier peint la riche laideur « douillette, propre à bien des salles à manger provinciales » (2), le « luxe misérable », infernal, des salons « respectables » ou des chambres à coucher de la petite bourgeoisie cossue : « ... Un lit de bois clair imitait les formes les plus capricieuses du dix-huitième siècle et venait en droite ligne d'un grand magasin de Paris où les meubles de ce genre sont fabriqués en séries de mille. Deux fauteuils de même goût, mais peints en blanc, étaient disposés de chaque côté d'une de ces minuscules tables rondes à dessus de marbre qui semblent faites pour être renversées. Un tapis épais, mais taché, étouffait le bruit des pas.

— Que c'est joli ! s'écria Adrienne.

— Hein ? fit Mme Legras. C'est coquet. Pur dix-huitième. Otez votre chapeau... Vous avez un miroir là (3). »

Les bronzes de Barbedienne sur la cheminée, que Sartre a pu connaître à La Rochelle dans son enfance,

(1) Cf. *Minuit*, p. 29.
(2) *Idem*, p. 102.
(3) *Adrienne Mesurat*, p. 140.

les « pompes bourgeoises » du début du siècle, que Green a pu observer dans les provinces parisienne et américaine, sont entrés aussi bien dans l'univers greenien que dans le monde « visqueux » décrit par Sartre de si fascinante façon.

Les restaurants, les hôtels, les cafés des petites villes sont évoqués par Green avec des détails concrets qui les font vivre immédiatement à nos yeux. Ils ne sont pas moins réels que la banquette crasseuse du « Rendez-vous des Cheminots » où Antoine Roquentin éprouve sa fameuse *nausée*. De même, les devantures, les vitres sales des échoppes, et ces débits de tabac qui offrent « à l'œil curieux ou ennuyé du flâneur un étalage de pipes, de cigares et de cartes postales souillées par les mouches des étés précédents (1). Ou encore, ces boutiques à l'odeur épaisse et fade, ces merceries avec « tous les cartons à poignées de métal qu'une pauvre bossue poitrinaire ouvrait l'un après l'autre pour y trouver le gros-grain, la soutache, le ruban (2). »

Personne, peut-être, depuis Balzac, n'a aussi bien rendu l'existence quotidienne de la petite ville de province, son manque d'horizon, les « visages fermés » de ses habitants ! A La Tour L'Evêque, il serait révolutionnaire de cueillir des géraniums — fleurs provinciales et bourgeoises par excellence — un vendredi si la tradition est de les cueillir le dimanche ; d'aller se promener à onze heures du matin alors que l'heure

(1) *Minuit*, p. 103.
(2) *Idem*, p. 103.

normale de la promenade est cinq heures du soir. Le père Mesurat, retraité de province, a des habitudes choisies — petit tour en ville à heure fixe, achat du journal, visite au chef de gare — aussi immuablement réglées que celles de maint ex-fonctionnaire de petite ville que nous avons connu. On n'a aucune peine à douter de la réalité des personnages quand le milieu évoqué est d'une vérité aussi criante. On entend les volets se fermer (il ne faut pas laisser entrer le soleil ni se laisser voir par les voisins), on tressaille en écoutant grincer les chaises et les âmes.

Beaucoup plus que d'autres romanciers métaphysiciens tels que Bernanos (1), Green est également soucieux de réalisme lorsqu'il reconstitue une époque, qu'il s'agisse de 1908 *(Adrienne Mesurat)* ou de l'an 1000 (la première histoire de *Varouna*). Ainsi, dans la deuxième partie de *Varouna*, bien que l'auteur se défende, à juste titre, de faire du « roman historique », l'évocation de la France des Valois, sans être aussi minutieusement précise que celle de Carthage dans *Salammbô*, nous plonge du premier coup dans un passé concret et vivant.

Enfin, quoi qu'on en ait dit, plusieurs des personnages de Green doivent une partie de leur force au réalisme des descriptions. Qui oublierait le cou rond, les bras blancs et arrondis «avec cette indéfinissable,

(1) Bernanos est souvent négligent sur ce chapitre : dans *La Joie*, certains détails donnent à penser que l'action se passe avant la Première Guerre Mondiale, d'autres, après la révolution russe de 1917.

odeur de fruit que répand la chair bien portante », les beaux cheveux noirs et abondants qui tombent en tresses le long des joues d'Adrienne Mesurat, « ses sourcils droits et volontaires, ses prunelles bleues et sa bouche aux lèvres pleines qui ne s'entrouvraient pas (1) ? Nous *voyons* le « grain de peau » sous le fard de Mrs. Dare (2), le portrait d'Eliane, la maigre vieille fille d'*Epaves* consumée par une passion secrète pour son beau-frère. Dans *Moïra*, Bruce Praileau, le fier et beau jeune homme aux yeux couleur d'encre, aux sourcils épais qui formaient « deux longs traits noirs qu'on eût cru dessinés au charbon (3) », continue à nous hanter longtemps après que nous avons remis le volume dans la bibliothèque.

Chaque personnage de Green a non seulement des traits physiques nettement caractérisés, mais une densité, un ton de voix, et comme un parfum spécial : Mme Legras sent très fort le réséda (4) ; autour de Mme Pauque flotte un parfum de lilas

(1) *Adrienne Mesurat*, pp. 41-42.
(2) *Moira*, p. 5.
(3) *Idem*, p. 11.
(4) *Adrienne Mesurat*, p. 139. Le reste du portrait de Mme Legras serait à citer : « Elle portait une blouse de soie blanche agrémentée d'un ample jabot de *blonde* et une jupe de taffetas gris qui lui serrait les hanches et luisait sur ses cuisses pour s'épandre ensuite en une sorte de flot bruyant tout autour des jambes. Ses cheveux encore noirs et assez épais bouffaient sur son front et jusqu'à ses sourcils. Elle remplit la pièce d'une forte odeur de réséda. »

« qui semblait le complément de sa voix et de son regard, et comme de la douceur ajoutée à la douleur (1). » La réalité quotidienne est décrite par Green avec tout son poids. Qu'elle contribue à créer ce sentiment d'accablement que le pessimisme de l'auteur cherche à nous communiquer, la chose n'est pas douteuse, mais le peintre ne « triche » pas : il nous montre les choses et les gens non seulement comme il les voit mais comme ils sont devant autrui et comme ils apparaissent en face de leur miroir.

(1) *Le Mannequin* (dans *Lunaires*, p. 11).

CHAPITRE IV

DERRIÈRE LES APPARENCES

Pas plus que William Blake, qu'il admire, sur qui, nous l'avons vu, il a écrit un de ses tout premiers essais, et qui fut, lui aussi (beaucoup plus que Green, il est vrai), « un petit garçon imaginatif et visionnaire (1) », l'auteur du *Visionnaire* n'est un écrivain *réaliste* ou, à plus forte raison, *naturaliste.* « Je ne conçois pas », dit-il, « qu'on écrive pour faire passer la vie (2). » L'expérience, l'observation, la « tranche de vie » chère au Groupe de Médan, ne sont que des points de départ chez un écrivain qui ne croit pas à une véritable *existence* de ce qu'on nomme conventionnellement le monde réel. Ce qui est vrai pour lui se trouve *au delà* des illusions de la vie quotidienne et c'est ce qu'il s'efforce de pénétrer.

Comme Hawthorne, il observe « le monde extérieur comme seuls savent le faire le mystique et le poète, j'entends par là qu'il avait un regard précis et capable de la plus longue attention. Il restait

(1) *Suite anglaise,* p. 43.
(2) *Journal II*, p. 209.

quelquefois près d'une heure à suivre le trajet des rayons de soleil sur le clocher d'une église. De même le Jésuite Hopkins gardait devant une fleur couverte de rosée une immobilité parfaite au point que le jardinier le croyait devenu idiot. Ces grands contemplatifs savaient que si l'on regarde les choses assez longtemps elles finissent par regarder l'observateur et lui parler (1). »

Cette conception est celle d'un poète aussi bien que d'un mystique. Elle s'apparente à celle de certains romantiques anglo-saxons dont on pourrait rapprocher Green. Comme Keats — qu'il a, nous l'avons vu, de bonne heure lu et aimé — il a le don d'évoquer de façon précise ce qui se décrit à peine : « le murmure de la pluie », le « chant d'un oiseau », la « voix de l'Univers » qui nous parlent à tout moment sont quelques-unes des clés de ce surnaturel qui est le domaine de prédilection des deux écrivains. Comme Emerson, Green est sensible aux couleurs, aux formes, à la musique de l'univers. Né dans un autre siècle, sous d'autres cieux, il aurait peut-être, comme le poète transcendantaliste, chanté la Beauté sous ses innombrables aspects colorés :

> « ... *Guest of million painted forms,*
> *Which in turn thy glory warms !*
> *The frailest leaf, the mossy bark*
> *The acorn's cup, the rain drop's arc,*

(1) « Nathaniel Hawthorne », *La Table Ronde*, juillet 1952, p. 10.

The swinging spider's silver line,
The ruby of the drop of wine,
The shining pebble of the pond (1). »

La nature nous offre, en certains lieux, à certaines heures, des sortes de transitions entre le réel et l'irréel. Ce sont ces zones en demi-teinte que cherche le héros de *L'Autre Sommeil,* le plus personnel peut-être des livres de Green : « ... J'affectionne encore tout particulièrement les lieux où la vie apparaît sous un aspect irréel... Deux pas plus loin, elle reprend les formes que nous lui connaissons trop, mais là, en ce point d'élection, elle a quelque chose de douteux qui l'apparente au rêve (2). »

Quelques exemples de ces lieux sont les caves obscures et humides, cimetières d'un atelier de moulage ; les constructions inachevées (3) ; les terrains vagues des grandes villes à l'heure où tombe le soir ; les quais de la Seine après minuit ; les abords des cimetières, comme celui de *Moïra* où Joseph et Bruce se battront la nuit ; d'autres encore seront les maisons isolées des petites villes endormies, un manoir croulant comme celui de *Minuit.*

(1) *Ode à la Beauté.*
(2) *L'Autre Sommeil,* p. 82.
(3) Cf. *L'Autre Sommeil,* p. 127 : « Les fondations sont jetées, le premier étage monte lentement ; entre les deux s'étend dans la pénombre une région incertaine. L'œil ne voit rien qu'il connaisse, on ne sait où l'on est et malgré la rue qui l'entoure de son bruit, cet espace devient le lieu d'élection où la vie se transforme. »

La nuit offre le passage le plus habituel du monde réel à l'irréel. Pour Green comme pour Hawthorne — qui pendant longtemps ne sortit de chez lui, à Salem, qu'après la tombée du jour — la nuit est le climat par excellence du romancier. « La nuit, la nuit, de tout temps j'ai senti qu'elle m'était favorable. » C'est qu'elle marque pour lui « l'évanouissement d'un monde d'apparences, le monde éclairé par le soleil, avec ses couleurs et son perpétuel bruit de paroles ; elle accomplit dans le domaine sensible ce que nous devrions pouvoir accomplir dans le domaine de l'esprit et ce qu'elle propose aux yeux de la chair attire invinciblement le regard intérieur. Devant ce spectacle, tout devient insignifiant de ce qui relève de notre vie quotidienne. Notre sort individuel et le sort des nations sont ramenés à leurs proportions véritables, c'est-à-dire à zéro (1). »

Un des personnages de *Minuit,* M. Edme, organisera sa vie (et celle de ses invités) autour de la nuit, période favorable à ses méditations spirituelles. M. Edme, « qui cherche à imposer sa volonté aux habitants de Fontfroide, et Fontfroide, la grande maison, sont ici comme l'image de la personnalité tout entière. M. Edme représente la raison toujours sollicitée par le rêve (2). »

Avec le rêve, l'Invisible s'entr'ouvre et Green a décrit, soit directement, soit par l'intermédiaire de ses personnages, plusieurs de ces rêves mystérieux,

(1) *Journal II,* pp. 143-144.
(2) *Journal V,* pp. 235-236.

parfois pittoresques, souvent inexplicables qui alimentent son imagination de romancier (1).

« C'est une bizarrerie de mon esprit », dira le narrateur de l'*Autre Sommeil*, « de ne croire à une chose que si je l'ai rêvée ». Le rêve, en effet, projette devant nous des horizons surnaturels ; il est une façon de pénétrer dans le *vrai monde réel* (2). Le rêve, souvent, « instruit » l'homme sur sa vraie nature.

C'est pourquoi les visions nocturnes joueront un rôle si important dans tous les romans de Green (3) (celles d'Adrienne Mesurat sont parmi les plus fascinantes, les plus réussies techniquement, les plus inoubliables) et même dans le *Journal*, où l'auteur note minutieusement certaines plongées effectuées, pendant le sommeil dans le subconscient (4). On a pu dire, sans trop exagérer, que le rêve était la principale source d'inspiration de Green. L'écrivain lui-même a dit : « Tous mes livres sont sortis de mes rêves (5). » Il convient d'atténuer cette

(1). Cf. en particulier *Journal II*, p. 159 et p. 196.

(2) Cf. *L'Autre Sommeil*, pp. 1, 73, 82, 148.

(3) Le lecteur épris de statistiques trouvera dans *Varouna* une douzaine de rêves et, parmi eux, un rêve à l'intérieur d'un rêve (sans compter les récits et discussions de rêves).

(4) Voir, par exemple, I, p. 10 : « Fait le rêve suivant, que mes propres cris de terreur ont interrompu, ainsi qu'il m'arrive souvent. » (L'auteur est à un concert. Quelqu'un murmure : « Il y a un changement de programme » et l'on remplace la musique par la pendaison d'un homme en cagoule).

(5) *Journal VI*, p. 220.

remarque, en indiquant que si elle est très juste pour la plupart des romans, elle ne l'est pas entièrement pour tous les personnages : dans l'avant-propos de *Moïra,* l'auteur a pris soin de dire que des garçons en chair et en os, qu'il avait connus et qui n'étaient pas le produit de ses rêves, lui avaient servi de modèles. *Moïra,* à cet égard, ne représente pas une exception par rapport à l'ensemble de l'œuvre : le personnage de Claude, dans *L'Autre Sommeil,* a été également dessiné d'après nature, « avec quelques modifications de détails (1) ».

Muni de la certitude de sa foi dans un monde invisible qui est le monde réel, le vrai romancier « n'invente rien ». Comme le dit l'héroïne du troisième conte de *Varouna,* « par une espèce de seconde vue il découvre ce qui se cache derrière les apparences » et ses dons « lui permettent de vivre une vie qui n'est pas la sienne... (2) » Visionnaire donc (Balzac lui-même, le plus grand de nos romanciers réalistes, n'a-t-il pas été aussi le plus extraordinaire visionnaire ?), le romancier s'attache à dégager le fantastique de la réalité. « Par une loi singulière de mon esprit », dit le narrateur de *L'Autre Sommeil,* « certaines réalités ne me semblent vraies que si le fantastique les grandit. Ainsi dans le décor étrange que j'avais choisi, les personnages dont je peuplais ma solitude prenaient des proportions énormes comme

(1) *Journal VI,* p. 30.
(2) *Varouna,* p. 230.

pour mieux affirmer la vérité de leur existence. Le souvenir de mes parents me les fit voir tout d'un coup attablés à je ne sais quel banquet funèbre, quelque part dans la profondeur de la nuit, mon père avec un trou noir dans la tempe, ma mère les yeux fermés comme une somnambule (1). » Comme l'a fort bien dit M. Eigeldinger, « l'univers matériel se féconde en Green au moment où la mémoire et l'imagination s'en emparent pour le transfigurer et pour le projeter sur l'écran surréel du rêve et du souvenir (2). »

Des exemples particulièrement frappants de cette transposition du réel sur le plan surnaturel se trouvent à la fin de la première partie de *Léviathan*. Le malheureux Guéret, qui se trouve dans une sorte d'état « d'hébétation », vient de commettre un crime. Il rôde au milieu de tas de charbon, la nuit, au clair de lune. Cette scène extraordinaire a été comparée à un tableau de Goya : « Pas un souffle ne passait dans l'air. Ainsi que dans un lieu enchanté, toute vie était suspendue entre ces murs. Les choses, transfigurées par un violent éclairage, n'appartenaient plus à ce monde et participaient d'un univers inconnu à l'homme, et c'était parmi les ruines d'une cité, mais non d'une cité terrestre, que l'on se serait cru, tant le cœur était remué par tout ce que cet endroit comportait de magnificence et de désolation... Il regarda devant lui quelque temps, comprenant mal

(1) *L'Autre Sommeil*, p. 148.

(2) Marc Eigeldinger, *Julien Green et la Tentation de l'Irréel*, p. 13.

où son rêve avait pris fin et l'état de veille recommencé (1). »

La psychologie des personnages, naturellement, s'enrichit de cette pénétration derrière le mur des apparences et s'éclaire par l'appel à l'invisible (2). En allant au delà des réalités conventionnelles, le romancier jette des lueurs sur les mystères de la vie de l'âme qui nous donnent le *vrai* visage de l'individu. Ainsi, dans *Epaves*, Eliane, la vieille fille qu'on voyait et qui se croyait douce et bonne, « découvre peu à peu qu'elle est violente et injuste (3). »

D'aucuns, en lisant Green, penseront que son étude du subconscient procède de Freud. En fait, il s'est fort bien passé du freudisme dans ses efforts pour saisir la présence de l'invisible. Il n'a lu son premier ouvrage de psychanalyse (le livre de Stekel sur l'Angoisse) qu'à trente-trois ans et lorsque les écrits de Freud lui sont devenus familiers, il a, tout en admirant « ces pages étonnantes », estimé que « Freud aura beau tout expliquer, le mystère reste entier ». Quand il aura établi que l'enfant est épris de sa mère, il n'aura fait que reculer un peu les limites de l'inconnu, car la question que je me pose encore est : pourquoi ? Sur l'essence de notre être,

(1) *Léviathan*, pp. 167-168.

(2) Cf. *Journal V*, p. 126 : « ... mes romans laissent entrevoir dans de grands remous ce que je crois être le fond de l'âme, et qui échappe toujours à l'observation psychologique, la région secrète où Dieu travaille... »

(3) *Journal I*, p. 67.

comme tous les théoriciens, Freud garde le silence (1).» Plus qu'à celle de Freud, la « philosophie » de Green, d'ailleurs, s'apparenterait à celle de Jung, à sa théorie des mythes et du subconscient de la race. Ces grands mythes qu'on retrouve dans toutes les civilisations aident à comprendre la nature de l'âme humaine, mais laissent au théologien, au croyant — aussi bien qu'à l'athée — le soin de construire leur édifice métaphysique propre.

(1) *Journal I*, p. 162. Cf. *Journal III*, pp. 42-43 : « Une dame assise à côté de moi me demande comment il se fait que j'aie pu écrire mes romans puisque je n'avais pas lu Freud. De toute évidence, le cœur humain n'existait pas avant que ce savant eût produit ses ouvrages... »

CHAPITRE V

LES PERSONNAGES ET LEUR DESTIN : RÉSIGNÉS ET DÉSESPÉRÉS

Dans des cadres mi-naturels, mi-surréels, Julien Green a placé des personnages pour la plupart *inventés plus qu'observés*, c'est-à-dire tirés de lui-même plus que du monde extérieur. Flaubert disait : « Mme Bovary, c'est moi. » De même, si les héros de Green ont un modèle, c'est souvent leur auteur : « Voici la vérité sur ce livre », a-t-il dit de *Léviathan* : « Je suis *tous* les personnages (1). » Ces personnages, tous, sont en proie à leur destin. Le destin, qu'on pourrait aussi appeler la condition humaine, c'est quelque chose de mystérieux et d'inexpliqué : « Il ne doit guère y avoir que les religieux pour entrevoir ce qu'on pourrait appeler le mécanisme des lois surnaturelles mystérieuses et terrifiantes. Les autres, moi tout d'abord, ne peuvent que rester accablés par ce quelque chose d'incompréhensible qui nous foule et qui nous broie (2). »

(1) *Journal I*, p. 3.
(2) *Journal I*, p. 3.

Nous avons indiqué plus haut que, comme Hawthorne, Green croit à une sorte de fatalité du mal. Sa philosophie de la vie (qu'il faut soigneusement distinguer de sa foi) a pu être qualifiée de pessimiste (1). Il considère l'homme comme étant dans le monde un « voyageur sur la terre », vivant une vie à peu près incompréhensible : toute existence humaine est « comme un fragment isolé dans un long message dont elle ne nous livre qu'une faible partie, souvent indéchiffrable (2). » L'homme est une sorte d'*étranger* au monde : il se sent, en tout cas, *étranger* (un peu comme le héros de Camus) aux réalités de cet univers matériel où il est « en situation ». L'homme laissé à lui-même ne sait ni d'où il vient ni où il va. Il flotte au fil du temps, comme flotte dans la Seine la femme noyée du premier chapitre et, dans la vie, le personnage principal d'un roman auquel l'auteur a donné le nom significatif d'*Epaves*.

A mesure que la vie de l'homme se poursuit, il avance à travers une obscurité impénétrable (3). En plein soleil des réalités matérielles, l'homme vit dans les ténèbres : « Ah, la nuit dans laquelle nous sommes tous, et ce bandeau que rien au monde ne

(1) Il est nécessaire de bien délimiter ce « pessimisme » de Green : ce n'est, à notre avis, qu'un point de départ pour une œuvre dont la leçon est, comme celle de Camus, franchement tonique.

(2) Avant-propos de *Varouna*.

(3) *Journal III*, p. 47.

peut nous arracher de dessus les yeux (1) ! ». Et la mort est là, toujours proche. « La mort s'asseoit à table avec nous. Elle se glisse dans notre lit, c'est avec elle que nous couchons, mais elle ne dort que d'un œil. A la moindre grippe, elle nous souffle à l'oreille : « Ne m'oublie pas, hein ? Je repasserai. » Dans *Le Visionnaire*, Green avait fait d'elle un personnage, « une femme assez effacée, aux chairs molles, à peu près muette (2). » Elle reparaît, dans *Le Malfaiteur*, sous les traits de Mme Pauque. C'est, évidemment, le symbole et l'incarnation de cette hantise de la mort qui, longtemps, affecta l'auteur, — jusqu'au moment où il se convertit, et retrouva la Beauté dans *tout* le domaine du surnaturel.

Ecrasé par la peur, par l'anxiété, par le poids de son milieu, l'homme de l'univers greenien porte aussi le fardeau — souvent ignoré — d'héritages ancestraux. Il lui arrive, parfois, de payer de sa vie les erreurs, les folies de ses parents. Ainsi, le héros du *Voyageur sur la Terre*, condamné dès sa naissance, est probablement poussé au suicide par d'effrayantes hérédités dont il ne sait rien et qui s'identifient à une sorte de prédestination puritaine (que Hawthorne n'aurait pas reniée). Il peut être affecté par les fautes, les souffrances (même injustes) de ses pères : dans *Les Clefs de la Mort*, l'enfant manque de peu de commettre un crime sur la personne d'un maître-chanteur qui a exploité la faiblesse de ses parents.

(1) *Idem*, pp. 29-30.
(2) *Journal VI*, p. 314.

Le personnage typique de Green est *seul*. Il n'arrive pas à communiquer avec autrui : « Presque tous mes personnages sont des solitaires et ne peuvent franchir les murailles qui les séparent du prochain (1). » « ... L'être humain est séparé du reste de l'humanité par une barrière qui presque jamais ne s'abat. C'est le drame de chacun de nous... Ce que nous pensons profondément est à peu près incommunicable. Parfois l'amour devine, mais c'est le privilège de l'amour et du seul amour (2). » C'est pourquoi l'individu seul cherche, instinctivement et comme désespérément, l'amour, sous ses diverses formes, depuis l'affection platonique (mais brûlante) du héros de *L'Autre Sommeil*, jusqu'à la passion dévastatrice d'Adrienne ou de Guéret.

Mainte et mainte fois, Green a été tenté par le thème de la solitude. Ainsi, il note dans son *Journal* : « Je voudrais écrire l'histoire d'un homme dont l'extérieur annoncerait une âme absolument sereine, alors qu'en réalité la solitude de ce personnage serait rendue tragique par la faim charnelle (3). » La faim passionnelle, inapaisable, l'amour non partagé sont parmi les aspects les plus criants de la solitude humaine : la mère d'Elisabeth dans *Minuit*

(1) *Journal VI*, p. 99. Dans *Memories of Happy Days* (pp. 305-306), Green déclare non moins nettement que le thème de la solitude, de l'*incommunicabilité* est celui, non seulement d'*Adrienne Mesurat*, mais de la plupart de ses romans.

(2) *Journal III*, p. 113.

(3) *Journal III*, p. 27.

est abandonnée par M. Edme ; Adrienne (comme l'héroïne d'*Albert Savarus*, de Balzac) aime un homme qui ignore l'amour qu'elle lui porte et pendant longtemps n'aura même pas eu l'occasion de jeter les yeux sur elle. D'autres amours sont encore plus impossibles : celui d'un individu pour un être du même sexe peut être tragiquement incompris. Dans *Moïra*, le trop sensible Simon se suicide parce que l'inflexible Joseph a repoussé ses pathétiques offres d'amitié. Dans *Sud*, où il s'agit d'une passion inexprimable et dévastatrice, le lieutenant Jan se fait tuer en duel, volontairement, par celui vers qui le pousse une inclination fatale.

De même que dans l'admirable *Journal d'un Curé de Campagne*, ou du côté de chez Sartre, le long du boulevard Noir, un terrible ennemi de l'homme rôde en tous lieux dans l'univers greenien : c'est l'ennui. Emily Fletcher à Mont Cinère s'ennuie. Adrienne Mesurat « baissait la tête sous l'ennui comme d'autres sous la fatigue ». Pour Mme Londe, les journées sont « longues à pleurer (1) ». Mme Grosgeorge, dans la villa *Mon Idée*, s'empoisonne lentement d'ennui (2). Bien qu'elle eût pris, pour suppléer à l'insuffisance de son mari, un amant jeune et beau, Elisabeth, dans *L'Ennemi*, était, avant l'arrivée de Pierre au château, « languissante, muette, perdue

(1) *Léviathan*, p. 19.

(2) « L'ennui, le désespoir la rendaient amère » (*Léviathan*, p. 196).

dans des songeries dont rien ne la tirait jamais, ni la musique, ni les promenades dans les environs, ni la lecture, ni les visites de nos voisins. Je la voyais mourir sous mes yeux de cette maladie affreuse qui s'appelle l'ennui (1). » La simple fuite du temps, la durée est, chez maint personnage de Green, créatrice d'angoisse. La conjonction de l'angoisse et de l'ennui mène directement à des catastrophes matérielles et spirituelles : névroses, folies, crimes, etc.

Comme le dit Green dans son *Journal*, « l'ennui est la flûte sur laquelle le démon nous joue ses airs préférés (2). » La solitude, l'ennui, l'habitude finissent par créer une sorte de vide, le vide des jours, le vide des cœurs. C'est le premier ressort dramatique de *Mont Cinère* : « Il pleuvait depuis quelques heures et l'on voyait, dans une lumière douteuse, le contour indistinct des arbres au fond du parc et la masse grise des collines dont la crête se confondait avec le ciel, mais l'herbe rafraîchie par la pluie semblait d'une teinte plus vive. La jeune fille considérait ce paysage avec l'attention que l'on prête à l'examen d'une peinture et ses regards se portaient sans cesse d'un point à un autre. On sentait que c'était là un des petits passe-temps d'une vie sans grandes occupations et qu'elle devait s'y livrer avec régularité. Chaque fois qu'elle entendait la voix de sa mère, elle agrippait d'une main le coin d'une table placée à côté d'elle et, par ce geste, interrompait le mouvement

(1) *L'Ennemi*, p. 108.
(2) *Journal V*, p. 61.

du fauteuil. Elle prenait alors un air de patience et soupirait à mi-voix, puis, lorsque le silence se rétablissait, appuyait contre la table en faisant plier son poignet comme si elle eût voulu pousser le meuble et l'éloigner d'elle, et retirant la main tout à coup, elle croisait le bras de nouveau et se laissait aller au balancement du fauteuil (1). »

Le vide crée une sorte de nausée même chez le bourgeois repu : Philippe, dans *Epaves*, « ne croit plus à rien, pas même à ce qu'il représente lui-même (2). »

Deux attitudes sont possibles aux humains en face de ce monde hostile, oppressant : la résignation ou le désespoir. D'où deux catégories de personnages : d'une part, les tièdes, les « végétaux », les « endormis »; d'autre part, les violents, les « sauvages ».

« Végétaux », les Serre et les Lécuyer, ancêtres d'Adrienne Mesurat, « avaient dû naître, grandir, et disparaître, à peu près comme des plantes, résignés à vivre, également résignés à mourir, et rien ne transparaissait dans leurs yeux, sinon cette âme distraite, changeante et débonnaire que l'on voit

(1) *Mont Cinère*, p. 3. On pourrait multiplier les exemples de ce *vide des jours* si admirablement évoqué par Green. Dans *Si J'étais Vous*, Fabien a, lui aussi, ce sentiment qu'*il n'arrive jamais rien*. « Cela ne fait pas une vie. Encore moins une jeunesse » ... « Sa journée lui parut aussi vide que celles qui l'avaient précédée et que toutes celles qui, sans doute, allaient suivre... » (*Si J'étais Vous*, p. 5).

(2) *Journal III*, p. 106.

quelquefois à la foule (1). » Végétaux, ces « bourgeois » qui vont à la messe par bienséance, par routine, pour faire comme les « gens bien », ces personnes « à principes » qui ne sont ni des « exaltés » ni des « mystiques (2). »

A cette première catégorie appartiennent aussi des êtres comme le père Mesurat qui compte soigneusement les mouches prises dans la glu (sans se rendre compte qu'il n'est pas moins englué qu'elles) et tyrannise ses deux filles pour les forcer à lui faire sa partie de cartes tous les soirs... Comme Mme Legras, l'ex-cocotte « bien-pensante » et voleuse d'*Adrienne Mesurat* ; comme l'ami de Joseph Day, dans *Moïra*, ce David qui nous est représenté comme un « petit monsieur si sûr de lui qu'il parlait déjà du haut d'une chaire », dont « le sourire affable » était prodigué à tout venant, ce futur pasteur qui voulait une religion « apprivoisée » avec un « rabat blanc et des ongles bien tenus (3). » L'ennui et l'habitude, la routine, le pharisaïsme, dominent la vie des tièdes, « bureaucrates » ou « concierges ». « Comment se pouvait-il que pendant des heures des hommes consentissent... à garder les salles vides du Luxembourg, ou à somnoler au Sénat, ou à faire des additions dans une arrière-boutique ? (4). »

« ... A la villa des Charmes, les heures suivaient

(1) *Adrienne Mesurat,* p. 3.
(2) Cf. *Adrienne Mesurat,* p. 179.
(3) *Moira,* pp. 75, 98.
(4) *L'Autre Sommeil,* p. 125.

le rythme que lui imprimaient Germaine et M. Mesurat et la vie n'était plus qu'une série d'habitudes, de gestes accomplis à des moments fixes... (1) » Dans cette habitude que le jeune auteur du *Pamphlet contre les Catholiques de France* condamnait déjà («C'est l'habitude qui damne le monde (2) »), le végétal, le « mollusque » s'enlisent, comme le « salaud », l'homme de « mauvaise foi » de Sartre.

Les faibles, les malheureux, les déshérités ont tendance à se réfugier dans le conformisme, dans l'habitude, dans la résignation. L'âme suit le corps dans des gestes traditionnels, routiniers. Elle se courbe dans de grands saluts pleins de crainte. « ... Avec un physique comme le sien », pense un personnage de *Si j'étais Vous*, laid, craintif, blessé, « mieux valait se résigner, dévorer ses mauvaises. pensées comme le feu dévore ses ordures... Il se releva, gagna un des bas-côtés et pénétra dans une petite chapelle obscure où un recoin derrière un confessionnal offrait un second refuge dans le grand refuge qu'était l'église (3). »

La résignation apporte une certaine dose de confort, mais elle est proche parente du conformisme et de l'hypocrisie que Green, comme Mauriac, Bernanos, Sartre et les meilleurs écrivains d'aujourd'hui rejettent avec horreur, convaincus qu'ils sont que l'homme ne *doit* pas aliéner la liberté, la responsabilité, l'âme *unique* qu'il a reçue lors de sa naissance.

(1) *Adrienne Mesurat*, p. 23.
(2) *Pamphlet*, p. 21.
(3) *Si j'étais Vous*, p. 158.

A la seconde catégorie appartiennent ceux qui souffrent, les désespérés, ceux qui protestent de toutes leurs forces contre la solitude, contre un monde sans amour, ceux qui pratiquent la religion « à l'état sauvage ». Joseph Day, le rouquin à l'âme ardente de *Moïra*, est un bon exemple de ces gens qui ne *prennent pas leur parti* de l'impureté du monde. Ces « extrêmes » finissent souvent mal (ils tuent, meurent, deviennent fous...) mais ils seront peut-être sauvés : leur révolte métaphysique, leur désespoir même leur ouvriront peut-être le Paradis.

CHAPITRE VI

TENTATIVES D'ÉVASION

« Mon plus grand péché aura été de ne vouloir pas accepter la condition humaine ». Cette pensée de Green qui donne une mesure de la continuité de son œuvre, à travers les « hauts » et les « bas » de son angoisse existentielle, le romancier l'a communiquée à un certain nombre de ses personnages, à ces « réfractaires » qui refusent de partager le sort des « bonnes consciences » engluées.

Comment se dégager, comment s'arracher à cette glu ? La raison n'est pas un instrument suffisant pour percer le mystère de l'homme et sortir de sa condition. Dès le *Pamphlet contre les Catholiques de France*, Green faisait le procès de cette raison qui pèse sur l'individu et le limite : « Ce qui fait la grandeur de l'homme », écrivait-il, « ce n'est pas sa raison, c'est la connaissance des choses qui sont au-dessus de cette raison. » Dans sa pièce *L'Ennemi*, qui se passe à l'Age des Lumières, le dramaturge nous montre en Jacques un homme intelligent, philosophe, nourri de rationalisme (« ... je ne suis pas venu ici pour parler de religion. C'est un sujet qui me ferait sécher d'ennui ») (1), et misérable... Insatisfait, il ne sortira pas de sa solitude, en dépit de sa liaison charnelle avec Elisabeth, elle-même non moins insatisfaite et seule jusqu'au jour où elle rencontrera, avec l'émotion vraie, l'irrationnel, le surnaturel...

Green est un des écrivains d'aujourd'hui les plus conscients qui soient des insuffisances de la raison et des impasses de l'*illusion* intellectuelle. Sartre avait abordé le problème, dans *La Nausée*, en créant le curieux personnage de l'Autodidacte. Il me semble, cependant, que l'auteur de *L'Etre et le Néant* est trop intellectuel lui-même, trop cérébral, trop logique pour nous faire sentir vraiment les limites des facultés intellectuelles. Dans *Si J'étais Vous*, le personnage de M. Fruges, « vieux jeune homme, triste et noir comme un rat malade » et parent ascétique de l'Autodidacte, nous donne beaucoup plus cette impression. Cet homme intelligent, auteur de plusieurs articles sur les pélagiens, les semi-pélagiens et les monophysites, *comprend* tout. Il est plein de curiosités psychologiques, son cerveau est une « riche bibliothèque », mais il reste à la limite de la foi aussi bien que de l'acte et d'une révolte qui aurait pu lui offrir ce salut auquel aspire le meilleur de lui-même :

« ... J'étais appelé, poursuivit-il intérieurement, c'est certain. Et cet appel que je n'ai pas voulu entendre a créé autour de moi une solitude infranchissable... »

« ... Il flaira un danger, le danger le plus grand qui

(1) *L'Ennemi*, p. 173.

pût le menacer à l'heure actuelle : celui de la résignation à son sort. »

« ... Aujourd'hui, pour attiser le feu presque éteint de la religion, il lui fallait... l'exceptionnelle faveur d'une grâce de choix, presque un miracle, et c'était un miracle qu'il venait mendier sous ces voûtes grises où tournoyait l'ennui, un miracle comparable à la résurrection de Lazare, la résurrection de l'âme, quelque chose d'immense à quoi il ne croyait presque plus, qu'il ne savait plus demander (1). »

Fruges n'est pas tout à fait l'abbé Cénabre. Mais, comme l'historien ecclésiastique de *L'Imposture,* il n'a conservé, de l'étincelle divine, que les dons de l'intelligence, et il est tombé dans un enfer plus froid que celui du blasphème, car, pour reprendre l'expression de Georges Bernanos, « dans le blasphème, il y a quelque amour de Dieu. » Fruges, comme Cénabre, avait une âme. Cette âme a laissé perdre ce qu'elle avait d'unique et d'essentiel, qui n'était pas ses subtiles facultés d'analyse et sa compréhension *intellectuelle* de l'univers.

Comment, alors, peut-on s'évader de la solitude, comment peut-on forcer les murs de la condition humaine ? Peut-on se libérer de l'angoisse existentielle ? Peut-on jamais arriver à sortir de soi-même ?

Il y a, bien entendu, de fausses libérations : celle, par exemple, de l'égoïste Philippe, dans *Epaves*, qui « croit sortir de lui-même et... se retrouve

(1) *Si J'étais Vous,* pp. 122, 153, 159.

dans un autre, son fils (1). » Ou encore, à un degré différent, celle du père du narrateur de *L'Autre Sommeil* qui demande à son travail de bureau et « à l'étude l'oubli que d'autres se procurent par la débauche (2) », mais n'y trouvera pas de consolation suffisante pour éviter le suicide.

Cependant, plusieurs des personnages de Green secouent les chaînes du réel avec une force telle que, temporairement au moins, ils atteignent ces « ailleurs » auxquels ils aspirent. Le moyen le plus élémentaire, le plus immédiatement efficace peut-être pour secouer la routine, c'est le retour à l'instinct. La chose est facile : « Nous ressemblons », a dit Sir James Frazer, « beaucoup plus aux sauvages que nous n'en différons (3). » Le jeune Serge, dans *Minuit*, est une sorte de petit sauvage, incarnation de l'instinct sexuel sous sa forme la plus attirante (« il est ce qui éblouit le cœur par le secours des sens ») (4), déchaîné dans les coulisses matérielles du royaume de « pur esprit » de M. Edme. Joseph Day, lui aussi, est, à certains égards, un primitif, un jeune animal indompté ; la tragédie, pour le « héros » de *Moïra*, réside dans le fait que ce farouche puritain rejette de toute son âme les impératifs brutaux de son instinct.

L'instinct non contrôlé nous incite à rechercher

(1) Cf. *Journal I*, p. 59 et *Epaves*, p. 104.
(2) *L'Autre Sommeil*, p. 23.
(3) *Journal IV*, pp. 70-71.
(4) *Journal V*, p. 236.

le plaisir physique. Celui-ci, poussé à son paroxysme, peut être, chez certains, plus ou moins consciemment, une recherche de l'absolu, mais « le plaisir ne mène à rien. Il veut être une fin en soi et c'est un rôle qu'il joue pauvrement ; c'est le singe de l'absolu. Le plus qu'il puisse faire, c'est de procurer l'illusion de l'anéantissement (1). » « Ce qu'on appelle faire la cour à quelqu'un », dit encore le narrateur de *L'Autre Sommeil*, « mettait la limite à mes étonnements : des heures, parfois des journées de supplications, de ruses ou de promesses, pour atteindre à ces quelques minutes d'un incompréhensible délire. L'humanité entière me paraissait en démence (2). » Le plaisir des sens peut paraître une solution temporaire à l'ennui et à la solitude humaine ; mais, surtout pour l'homme qui a le sens du mystique, « il y a dans le plaisir quelque chose qui... fait horreur (3). » C'est le fond de *Moïra*. Dans le plaisir, nous confie encore Green, « ce n'est pas le corps qui est coupable, mais bien l'âme qui consent... Comment, étant esprit, peut-elle consentir à ce qu'elle déteste ? Mais le fait est là : le voluptueux prépare le lit de l'incroyant (4). »

L'érotisme engendre la souffrance, l'horreur, la mort. Manuel, le « visionnaire », se jette sur la vicomtesse « comme une bête » et après une étreinte plus effrayante qu'agréable, s'aperçoit que sa maîtresse

(1) *Journal II*, p. 111.
(2) *L'Autre Sommeil*, p. 58.
(3) *Journal VI*, p 208.
(4) *Journal IV*, p. 248.

est morte dans ses bras (ce n'est qu'un rêve, mais un rêve plus fort, plus vrai, que la réalité). Il mourra, lui aussi, quelque temps après cette extraordinaire expérience. Dans *Minuit*, la jeune Elisabeth, violée par Serge, s'abandonne au vide et meurt, peu de temps après son amant. Angèle, la prostituée au cœur pur de *Léviathan*, est mutilée par Guéret et aucun de ces deux obsédés n'a pu forcer sa solitude. Lorsque la luxure s'impose à Joseph Day, sous les traits de Moïra, il prend la fille, mais, au réveil, l'étouffe. Après quoi, il refuse de fuir et s'abandonne, en même temps qu'à la police, à son destin.

Une seconde forme d'évasion, plus savante, plus cruelle, est celle des sadiques, de ceux qui ont besoin, pour croire à l'existence, de faire souffrir les autres. La cruauté — comme la pureté — est une sorte de refus. M. Edme, avant de devenir le prophète de l'immatériel, avait rempli sa vie « de petite joies malfaisantes ». Il a été responsable, entre autres choses, du suicide de la mère d'Elisabeth, à la suite de quoi il a « éprouvé le bonheur de faire souffrir la seule personne qui (l') intéressât. » Il s'est avisé, dit-il, de rechercher sa fille, « dans le dessein de l'élever à ma guise et de retrouver chez cette petite quelque chose des émotions que m'avait procurées sa mère (1). »

La tante de Manuel, dans *Le Visionnaire*, est une espèce de mégère : assise au chevet de son neveu

(1) *Minuit*, p. 293.

malade, elle ressent une atroce satisfaction au contact de la torture physique.

Le personnage de Mme Grosgeorge, dans *Léviathan*, est peut-être le portrait le plus développé de sadique qu'on trouve dans l'œuvre de Green (1). Cette bourgeoise inassouvie cherche à humilier autrui pour se venger. « Lorsqu'elle frappait son fils, elle jouissait des larmes qu'elle voyait trembler dans ses yeux et souhaitait qu'une nouvelle étourderie vînt fournir un prétexte à de nouvelles rigueurs. Elle détestait cet enfant qui lui rappelait son mari ; il était le signe vivant de son esclavage, parce qu'elle se sentait incapable de l'abandonner, de le fuir, et qu'il faisait partie de cet ordre de choses qui lui avait été imposé sans qu'elle y eût consenti. Chaque fois que l'enfant tombait malade, elle le soignait avec exactitude mais une joie terrible la ravageait ; elle ne savait ce qu'elle espérait (2). » Quand elle apprend que deux crimes ont été commis à Lorges, elle vit « plusieurs heures de satisfaction parfaite... » « Que je suis mauvaise ! pensait-elle avec un sourire involontaire ; mais cette connaissance qu'elle avait d'elle-même ne modérait en rien son zèle à lire et relire dans le journal le récit détaillé de l'affreuse décou-

(1) Il y a aussi une pointe de sadisme chez certains « englués » égoïstes : le père Mesurat, lorsqu'il force sa fille malade à se lever, fait preuve d'une cruauté qui confine au sadisme, mais cette cruauté n'est peut-être pas aussi consciente, aussi franchement *libératrice* que celle de Mme Grosgeorge.

(2) *Léviathan*, p. 196.

verte (1). » Mme Grosgeorge recueille le criminel chez elle, s'éprend vaguement de lui, parce qu'elle le soupçonne du pire, pense à le faire fuir, excite en lui de faux espoirs et, finalement, le livre, indirectement, à la police. Il aurait pu « deviner de quel instinct elle était la proie, le jour où il l'avait vue gifler son fils avec un mélange de froideur et de passion (2). » « J'aurais dû me douter que vous me trahiriez », lui dit Guéret. « On couperait la tête à votre fils que vous ne bougeriez pas. Vous n'êtes pas une femme, vous êtes un monstre et, si vous êtes venue ici, c'est pour jouir de ma détresse (3). »

Mme Grosgeorge, cependant, ayant échoué dans ses efforts pour sortir d'elle-même, se tire un coup de revolver. « Dans le gémissement qui s'échappait de ses lèvres, il comprit ce mot : « achevez-moi ! je ne veux plus vivre ! ». Elle s'en tirera pourtant, et traînera sans doute une existence lamentable et absurde, emmurée en elle-même (4).

Dans le même roman de *Léviathan*, on trouve un autre personnage de tendances sadiques moins accusées, mais non moins intéressant : c'est Mme Londe, propriétaire de restaurant et entremetteuse. Cette femme curieuse, avide d'autorité, n'a pas l'amertume, la puissance de haine de Mme Grosgeorge. Mais elle cherche, elle aussi, à dépasser sa condition

(1) *Idem*, p. 199.
(2) *Léviathan*, p. 332.
(3) *Idem*, p. 337.
(4) *Idem*, p. 338.

humaine en *humiliant* autrui, en dominant et soumettant sa douzaine de clients — avec l'aide de la pauvre Angèle, qu'elle leur donne en pâture et qui lui livre leurs petits secrets — « comme des écoliers en faute » :

« ... Il y avait des années que ces hommes venaient manger à ses pieds et elle les tenait comme des enfants, les gourmandait sans cesse. » Mme Londe, d'ailleurs, n'est pas heureuse dans sa victoire : « ... Si elle ne pouvait se passer de les voir dans cet état d'esclavage moral, son âme insatisfaite retrouvait le néant au sein même de sa victoire. Elle avait en effet ce qui prend la place de l'intelligence chez les êtres d'instinct : une divination profonde des gens et des choses qui empoisonnait son bonheur sans lui donner la force d'y renoncer, et elle tombait dans des accès de mélancolie où sa vie entière se consumait lentement (1). »

A peine moins terrible que le sadisme, une haine féroce possède plusieurs des personnages de Green. Dans le seul roman de *Mont Cinère*, Mrs. Eliot « nourrissait à l'égard de sa fille une haine féroce de malade (2) », Mr. Fletcher avait fini « par considérer sa femme comme une ennemie (3) », Mrs. Fletcher « ne se sentait pas beaucoup plus d'affection pour son enfant que pour son mari (4). » Quant à Emily, la

(1) *Léviathan*, pp. 30, 31, 32.
(2) *Mont Cinère*, p. 30.
(3) *Idem*, p. 22.
(4) *Idem*, p. 44.

pauvre névrosée qui, pour se libérer de sa mère, a épousé le jardinier, elle déteste son mari, déteste la petite fille que celui-ci a eue d'un premier mariage et tente de l'étrangler. Dans tous ces cas, la haine est un sous-produit de l'ennui ou de l'angoisse existentielle.

La rêverie, l'hallucination, sont les formes d'évasion auxquelles recourent de préférence les introspectifs, les timides, les solitaires, ceux qui (comme Adrienne Mesurat) n'ont pas assez de ressources intellectuelles ou morales pour agir. La songerie d'abord apparaît comme un refuge inoffensif contre la dureté de la vie. De la rêverie on peut passer au rêve éveillé, à l'hallucination. Celle-ci n'est pas, comme le note fort justement Green dans son *Journal*, une invention purement romanesque. A Valenciennes, « des paysans disent avoir vu des hommes sortir d'une soucoupe volante. Je note cela parce que cette hallucination donne un peu la couleur de notre temps (1). » Même une petite bourgeoise sans grande imagination peut se réfugier dans un monde à elle qu'elle s'est créé pour échapper à l'autre, Adrienne Mesurat, enfermée dans l'enfer d'un salon de province (2) — un enfer qui est le proche parent de la chambre d'hôtel infernale de *Huis-Clos* — se crée

(1) *Journal VI*, p. 297.

(2) Cf. *Varouna*, p. 243 : « Est-il jamais venu à l'esprit de quelqu'un que l'enfer tout entier puisse tenir dans un salon de province ? »

un monde imaginaire dans lequel le Dr Maurecourt peut être le compagnon de sa vie. Henriette, dans *Epaves*, éloignée de son mari par la richesse et l'incapacité de celui-ci, rencontre secrètement un homme maigre qu'elle aime peut-être pour sa maigreur (son mari craint d'engraisser), mais surtout, « pareille à toutes les âmes que le monde n'a pas su rendre heureuses, elle cherchait au dedans d'elle-même les éléments de sa joie. Elle jouait à la vie comme les enfants jouent à la guerre ou aux voleurs et rien ne lui paraissait plus *vrai* que cette route imaginaire qui coupait la route des autres, se confondant parfois avec elle et la quittant pour la rejoindre mais malgré tout distincte (1). »

Cependant, les « avenues de la rêverie » sont « la promenade préférée du diable (2). » Les personnages de Green qui rompent avec le réel suivent une voie extrêmement dangereuse. Leurs tentatives, généralement catastrophiques, aboutissent dans presque tous les cas à une dissolution de leur personnalité.

Le neurasthénique M. Edme qui, dans *Minuit*, essaie de faire de la nuit le jour, vit dans une perpétuelle illusion et son domaine a été comparé à une « sorte de Mont Cinère combiné avec un asile de fous ». M. Edme plonge dans une sorte de nirvana mais non sans chercher le support de quelques « fidèles » qui l'entourent : « ... avec sa douceur hypocrite et son langage moralisateur, ce charlatan les a séduits.

(1) *Epaves*, p. 200.
(2) *Journal III*, p. 75.

Il leur a persuadé que la vie n'était supportable que dans une maison sur le point de crouler, loin de tout mais près de lui, si près de lui qu'il ne puisse pas sentir l'horreur de la solitude. Et chaque nuit, dans la crainte que son autorité ne se relâche et que ces gens ne se réveillent et ne se révoltent, il reprend ses mensonges de la veille, apaisant les craintes, endormant les protestations... (1) » L'entreprise de M. Edme se dénoue, tout logiquement, de façon tragique.

Le héros du *Visionnaire*, laid, timide, impuissant et tuberculeux, vivant dans un monde aussi fermé que celui d'Adrienne ou d'Emily, cherche à s'évader de la réalité en s'immergeant dans « un monde à la fois violent et poétique, éclairé d'une lumière plus impérieuse que la nôtre. » Mais ce monde de rêve est horrible. Les souffrances de Manuel ont tellement pénétré dans son subconscient que le pseudo-paradis artificiel qu'il évoque contient les horreurs et les souffrances du monde réel où il vit. L'exemple du « visionnaire » nous prouve que la sublimation parfaite est presque impossible. La tyrannie exercée par l'inconscient condamne d'avance les constructions de l'imagination.

Dans *Varouna*, le romancier nous offre une variante intéressante de l'effort de l'homme pour pénétrer dans l'irréel. Bertrand Lombard, « mystique fourvoyé dans la sensualité », cherche dans la magie « une issue à l'enfer qu'il a pour ainsi dire bâti de ses

(1) *Minuit*, pp. 240-241.

propres mains ». Anxieux de s'évader à tout prix, il se livre à son cousin Eustache Croche dont le jargon cabalistique lui impose et « demande au diable ce qu'il n'ose demander à Dieu » ; il meurt « de n'avoir pu croire à un mensonge (1). »

Fabien, le héros de *Si J'étais Vous*, essaie de sortir de soi-même au sens matériel, corporel du mot, de quitter ses « limites » physiques. « Chacun de nous est emprisonné dans sa personnalité... Il y aura toujours des hommes qui chercheront à s'évader parce qu'ils éprouvent l'amertume particulière que Milton a si puissamment définie lorsqu'il fait dire à un personnage de *Samson Agonistes :* « Tu es devenue, ô plus dure des prisons, le donjon de toi-même !... Si je voulais résumer d'un seul mot le sujet de ce livre, je dirais peut-être que c'est l'angoisse, la double angoisse de ne pouvoir échapper ni à son destin particulier ni à la dure nécessité de la mort et de se trouver dans un univers incompréhensible (2). »

Fabien, grâce à une formule hébraïque que lui a donnée un petit émissaire du diable, passe, à plusieurs reprises, en quelques jours, d'un corps à un autre et d'une personnalité à une autre. Fabien, cependant, n'arrive pas à être heureux dans sa demi-douzaine de personnalités successives. Peut-être est-ce parce qu'il transporte avec lui, comme le Visionnaire, ses souffrances inconscientes. Une seule personnalité lui sera refusée : celle d'un petit enfant en état de

(1) *Varouna*, pp. 222-223.
(2) Avant-Propos de *Si J'étais Vous*, pp. 10-11.

grâce auquel sa pureté sert de gardien. Fabien, finalement, reviendra mourir dans son corps et dans son âme originels : même avec l'aide du diable, on ne peut pas s'échapper *de ce monde.*

L'évasion dans l'irréel mène souvent à la folie. « La raison n'a plus que faire dans un cerveau qui accepte pour vraies les données extravagantes du songe (1). »

La seule libération totale certaine, c'est la mort. C'est ce que reconnaît le père du narrateur de *L'Autre Sommeil* : « ... Tu comprendras que la mort est la seule limite apportée à la souffrance humaine. »

Dans *Le Visionnaire,* la Vicomtesse de Négreterre ne tient pas un autre langage :

« ... Ne sentez-vous pas tout ce que la présence de la mort détruit d'illusions autour d'elle ? Nous sommes ces enfants qu'elle dérobe aux mensonges. Du fond de la vie, elle nous rappelle. A l'âge même où nous ne comprenons pas le langage des hommes, nous nous arrêtons quelquefois au milieu de nos jeux pour écouter sa voix... Et tout le long des années, elle nous fait signe (2). »

La mort est une issue toujours ouverte. C'est pourquoi le meurtre, le suicide — provoqués par la peur, la rancune, le désespoir — jouent un tel rôle dans les romans de Green.

On peut tout de même essayer une libération par-

(1) *L'Autre Sommeil,* p. 150.
(2) *L'Autre Sommeil* pp. 248-249.

tielle par la double foi dans l'Art et dans l'Amour mystique.

L'Art est une catharsis et Green lui-même s'est en grande partie délivré de ses fantômes de cette façon, comme Proust qu'il n'aime guère, mais avec qui il a plus d'un trait commun : « Si je ne mettais pas cette folie dans mes livres, qui sait si elle ne s'installerait pas dans ma vie ? (1) » ...Les poètes « s'échappent de leur moi en le transformant (2). »

L'Amour aide à remplir le vide de la vie ; l'amour, dans certains cas, de n'importe qui : « Je ne vous ai pas choisi », dit Adrienne Mesurat au docteur ; « Je ne l'ai pas choisi », déclare également Eliane de son beau-frère qu'elle aime secrètement *(Epaves)*. Mais un amour purement humain reste incomplet. Il n'a de valeur que s'il se confond avec l'amour divin dans lequel le moi s'oublie.

Dieu offre la seule libération. « Nous ne savons pas lutter contre le Ciel, nous ne savons pas qu'on ne le vainc qu'en se rendant à lui. Il n'y a de refuge contre Dieu qu'en Dieu, dit le Coran (3). » L'Eglise offre un refuge hors du temps : « c'est ce qui explique en partie l'attrait qu'elle exerce sur beaucoup d'entre nous (4). »

Dieu seul tient en respect le désespoir, la solitude : « L'Amour et quelquefois l'amitié trompent la soli-

(1) *Journal I*, p. 136.
(2) *Journal III*, p. 13.
(3) *Journal III*, p. 13.
(4) *Idem*, p. 40.

tude ordinaire, mais la solitude surnaturelle, il n'y a que Dieu qui puisse la supprimer (1). » Il faut donc se rendre à Dieu, lui faire confiance, même si nous ne comprenons pas toujours : « Dieu échappe continuellement à notre misérable pensée et quand nous nous adressons à lui, nous ne connaissons jamais la nature précise de notre acte, ni ce qu'il détermine au sein de l'invisible ». Le chrétien doit s'efforcer, au cours d'une vie d'épreuves, de mériter la grâce divine.

Se rendre à Dieu ne veut pas dire, si l'on a reçu de lui des dons de romancier, écrire des romans édifiants (2). Pas plus que Mauriac, Green ne cherche à faire servir son art à sa foi. Il estime sans doute que le roman dit *bien-pensant* n'est qu'un autre produit d'une *bonne conscience* « engluée ». Jamais, affirme-t-il, un chrétien timoré ne fera un grand roman (3). Au fond, il rejoint Mauriac dans l'idée que Dieu a donné à certaines de ses créatures une vocation de romancier et qu'accomplir celle-ci est probablement le meilleur moyen de lui plaire.

(1) *Journal IV*, p. 28.

(2) Green ne se fait aucune illusion sur les problèmes du romancier catholique. « Le mot de Mauriac *purifier la source* a l'air de résoudre la question et ne fait que l'embrouiller, car la source même du roman est empoisonnée, et privée des poisons qui la composent, elle voit s'altérer la nature. Je ne crois pas qu'il y ait des romans qui ne contiennent des poisons. » (*Journal IV*, p. 183).

(3) *Journal IV*, pp. 192-193.

CHAPITRE VII

L'ART DU ROMANCIER

Jamais Green n'a ambitionné avant toute chose le succès littéraire, au sens matériel, courant du mot (celui d'un auteur *à succès*, c'est-à-dire à gros tirages), et sa conception de la *gloire* est plus proche de celle de Racine que de celle des auteurs de *best-sellers*. A un jeune écrivain américain, il déclarait en 1943 : « L'Amérique est trop grande, on n'écrit pas pour un public aussi étendu. Racine écrivait pour deux cents personnes qu'il estimait. C'était là ce qu'il appelait travailler pour la gloire (1). » Consciencieusement, comme un honnête artisan, Green écrit ses livres avec une sage lenteur : « Peut-être suis-je un des seuls hommes de ce pays qui fasse ses livres *à la main* et j'entends cela de bien des manières. Un roman américain est trop souvent du travail en série. Les miens, non (2). » Chaque œuvre est enfantée dans la peine.

Green est pour lui-même le plus sévère des critiques:

(1) *Journal IV*, p. 21.
(2) *Journal III*, p. 235.

avant, pendant et après la composition de l'ouvrage. Il est le premier à reconnaître, dans son *Journal*, les « gaucheries et imperfections » de *Mont Cinère* (1). Se méfiant de ce qu'il écrit et d'un succès stéréotypé, anxieux de ne pas se répéter (2), il a constamment cherché à varier ses décors, ses sujets, sa manière. Ainsi, il a, de propos délibéré, écrit après *Léviathan* « un roman où il ne se passe rien et qui ne pouvait avoir de succès : *Epaves* (3). » A plusieurs reprises, il a recommencé (4) ou détruit des manuscrits qui ne satisfaisaient pas ses exigences artistiques ou dont la publication lui paraissait inopportune. Pendant des années, il a laissé dormir dans un tiroir son roman *Le Malfaiteur* (resté inédit jusqu'en 1956, à l'exception d'une vingtaine de pages, parues dans une édition à tirage limité). Il évite les « scènes à faire». Il cherche à faire court, à « réduire le roman à sa plus simple expression ». Son art peut être d'une simplicité, d'un dépouillement extrêmes. Il suffit de citer, à cet égard, les quelques lignes suivantes d'*Adrienne Mesurat*, qu'un autre romancier aurait aisément pu délayer en plusieurs pages (il s'agit d'une scène capitale, celle du « crime » d'Adrienne) :

(1) *Journal I*, p. 57.

(2) *Journal II*, p. 67 : « Il y a en moi quelque chose qui me pousserait à refaire ce que j'ai déjà fait, si je ne luttais de toutes mes forces contre cet instinct. »

(3) *Journal V*, p. 48.

(4) Cf. par exemple, *Journal II*, p. 65 : « Recommencé mon livre pour la sixième fois... » *Idem*, p. 67 : « Un *recommencement* de mon livre hier, un autre ce matin... »

« ... Une seconde passa. Elle crut voir une lumière qui tournait autour de la tête du vieillard. Une horrible frayeur la saisit et, sans savoir comment, à peu près comme si elle eût été jetée dans le noir par une force irrésistible, elle se rua vers l'escalier ; tout son poids porta sur les épaules de son père qui perdit l'équilibre et tomba en avant, tandis qu'elle se retenait à la rampe. Elle l'entendit crier : « Ho ! » comme quelqu'un à qui la respiration est coupée. Il dut tomber de tout son long, le front sur une marche, puis rebondir de là jusqu'en bas en deux énormes culbutes ; les pieds heurtèrent les barreaux et les firent trembler ; elle perçut le frémissement de la rampe sous sa main et entendit en même temps un second choc d'un son plus mat que le premier.

« Elle se pencha par-dessus la rampe, de toutes ses forces, le ventre coupé par cette barre de bois. La sueur coulait dans ses sourcils et le long de ses tempes. A mi-voix elle appela :

« — Papa !

« Au bout d'un instant elle s'assit sur la première marche de l'escalier et attendit (1). »

Volontairement, consciemment, l'écrivain élague l'*inutile*, le *facile :*

« ... Je crois qu'un art s'est perdu qu'on retrouve parfois dans le Moyen Age français et anglais, une façon à la fois ingénue et subtile de raconter. Nos romans foisonnent de développements inutiles. Ce sont des livres de barbares. De plus en plus, je suis

(1) *Adrienne Mesurat,* p. 159.

persuadé qu'il faut réduire un roman à sa plus simple expression. C'est ce que j'ai essayé de faire avec *Moïra* (1). »

« ... Il y a toujours une scène plus facile à écrire qu'une autre... Il y a toujours une phrase qui se balance toute prête au bout de la plume et qu'il faut à tout prix écarter. Redouter que l'encre ne coule délibérément (2). »

Jamais Green n'a courtisé une certaine sorte de public en s'abandonnant aux descriptions sensuelles ou érotiques (une notable exception est une scène absolument nécessaire du *Visionnaire*). Jamais il ne met les points sur les i : au lecteur d'imaginer, par exemple, le rôle possible du désir charnel dans les rapports entre Praileau et le héros de *Moïra*. Le romancier pratique le grand art de la litote et de la suggestion. Aussi y a-t-il toujours, dans ses romans, une matière plus riche qu'il n'apparaît au premier abord. Le lecteur superficiel peut ne pas voir le « filigrane », le « motif dans le tapis » cher à Henry James, mais l'histoire secrète, sous-jacente « transparaît aux yeux de qui sait voir. Il y a celle de Philippe dans *Epaves*, celle de Serge dans *Minuit*, et c'est même cet élément secret qui semble conditionner le reste (3)... »

Il écrit sans plan préconçu : « ... J'aime bien mieux que le plan meure et que les personnages vivent (4). »

(1) *Journal VI*, pp. 85-86.
(2) *Journal II*, p. 212.
(3) *Journal VI*, p. 13.
(4) *Journal I*, p. 133.

« ... Je ne fais jamais de plan... le plan d'un livre est l'œuvre des personnages... il s'agit d'abord de créer des personnages vivants et intéressants et capables d'agir (1). » Il ne se doutait pas, a-t-il confié à Gide, de l'importance que Mme Grosgeorge allait prendre dans *Léviathan,* du rôle qu'elle allait jouer. Bien entendu, comme l'a fort bien vu Gide, il existe une sorte de logique subconsciente qui précède la création littéraire proprement dite ; dans ce « creuset », les réalités imaginées s'amalgament et s'ordonnent. « Cette subconsciente logique, dont l'automatisme de ses créatures dépend (2) » est fort différente des constructions *a priori* de l'intellect et permet à l'écrivain de laisser ses personnages aussi *libres* que possible. Ils restent livrés au hasard, à la différence des créations du mauvais romancier qui, lui, a toujours « peur du hasard » ; il essaie de présenter de la vie une image logique et ne comprend pas que sans ce rien de folie la suite des événements est fausse. C'est ce qui fait qu'un conte fantastique peut avoir, fréquemment, plus grande apparence de réalité qu'un roman bien construit.

(1) *Journal III,* p. 81. Cf. *Mémories of Happy Days,* pp. 301-302 : « L'auteur crée des personnages, et les personnages créent l'intrigue. Pensant à certains de mes romans favoris, je me rendis compte... que je me rappelais les personnages beaucoup mieux que les intrigues... dans certains cas, j'avais complètement oublié l'intrigue, tandis que les personnages se dessinaient devant moi avec une vitalité extraordinaire... »

(2) Gide, *Journal,* p. 921.

La langue de Green est celle d'un grand écrivain *français*. Informés qu'il était né américain, des critiques ont cru bon de relever des anglicismes dans ses premiers romans. Cette accusation ne résiste pas à un examen sérieux des textes (1). Il n'est pas inutile de rappeler, à cette occasion, que Green n'a pris contact que fort tard avec les Etats-Unis et que la langue anglaise ne fut jamais pour lui tout à fait la langue maternelle : « J'ai beau avoir appris l'anglais dans mon enfance », écrit-il dans son *Journal*, « je ne puis écrire en cette langue sans me dire que j'essaie de mettre un vêtement qui n'est pas fait pour moi ; ce vêtement me gêne et j'ai conscience de le porter moins bien qu'il ne faudrait. C'est un uniforme qui me serre. Ma robe de chambre, mon costume de tous les jours, celui dans lequel je me sens heureux et libre, c'est le français (2). »

Green recherche constamment le mot propre. Il sait que cette quête « porte toujours sa récompense, le fond même du livre s'en trouvant, à la fin, enrichi (3). » Mais, bien qu'il n'hésite jamais à employer au besoin le mot technique (les exemples abondent dans la toile de fond historique de *Varouna*), savant ou pittoresque, il évite soigneusement tout éclat emprunté ou tout raffinement inutile.

(1) Il y a, dans les premiers romans, des gaucheries, des maladresses, et, parfois, une défiance de l'ornement qui confine à la banalité Mais les « *anglicismes* », sont, en fait, des images de style.

(2) *Journal II*, p. 185.

(3) *Journal I*, p. 46.

Le style de l'écrivain a la fraîcheur des images de l'enfant ou du poète qui découvrent le monde : « Un des secrets du vrai talent est de tout voir *pour la première fois*, de regarder une feuille comme si l'on n'en avait jamais vu car c'est alors seulement qu'elle peut nous apparaître dans toute sa nouveauté. La faculté de s'étonner constitue le génie de l'enfance si rapidement émoussé par l'habitude et l'éducation et personne ne pourra jamais assembler des mots dans un ordre acceptable s'il ne sait un peu voir la création par les yeux d'Adam (1). »

Comme André Breton — avec qui il a plus d'un trait commun (2) — Green pense qu'en art, la vérité est dans la surprise. L'intensité, le pouvoir de suggestion des romans de Green sont dus, autant qu'à la tension intérieure suscitée chez les personnages, à l'art de l'écrivain, à ces images neuves qui ramènent à la surface ce qui était caché, qui font éclater l'invisible. Ces images trahissent une sensibilité de peintre et de musicien. Il serait facile de relever dans *Moïra* une collection de tableaux et d'esquisses d'une

(1) *Journal III*, p. 59.

(2) Green et Breton sont, l'un et l'autre, des poètes, et s'intéressent, l'un et l'autre, à la *surréalité*. On trouvera dans le *Journal* (VI, pp. 158-159) au moins un passage qui aurait pu être écrit par Breton. C'est celui qui commence par les mots : « L'orchestre piqua une crise de nerfs et le diable parut sous la figure d'un jeune garçon lilas... Il y eut un monsieur qui avala sa langue et mourut incontinent... l'enfant lilas tira du fond de l'air des boules blanches et roses et les lançant au-dessus de sa tête commença un tour des plus difficiles... »

grande beauté. Nous y verrions le talent d'un peintre qui affectionne particulièrement les effets de lumière, d'ombre, de clair-obscur. « ... Le ciel lui apparaissait comme un vaste fleuve portant sur ses eaux des mailles de lumière (1). » « ... A travers les feuilles du magnolia, un rayon de soleil vint se poser sur la table, à côté de lui, comme une longue épée (2). » «... Tout d'abord, les petites flammes, mal attachées à la mèche, ne firent dans l'ombre que deux points rouges qui n'éclairaient pas, puis soudain elles s'allongèrent et s'épanouirent, et les yeux, les mains sur la nappe, la carafe d'eau, le tablier blanc de la servante, tout ce qui pouvait retenir la lumière émergea de la nuit (3). »

C'est Rachel Bespaloff, je crois, qui, dans son beau livre *Cheminements et Carrefours*, a, la première, noté la qualité musicale de certains chapitres des premiers romans de Green. « De loin en loin, certaines inflexions nous laissent en suspens. Le « hélas » d'Angèle, quelques instants avant d'être assommée, a l'accent d'un lamento... La plainte de Jalon, à la mort d'Odile — « la belle petite fille » — met en jeu une pédale de basse dont la tenue se maintient jusqu'à la fin du récit. Les quelques lignes qui terminent *Léviathan* en prolongent à l'infini les résonances (4). »

Les romans de Green, plus d'une fois, nous ont

(1) *Moira*, p. 25.
(2) *Idem*, p. 49.
(3) *Moira*, p. 11.
(4) *Idem* p. 12.

fait songer à des œuvres musicales. Ils sont, comme celles-ci, à la fois fondés sur un substratum d'images et baignés d'irréalité. La composition, parfois, évoque celle d'une pièce de musique. Ainsi, dans *Les Clefs de la Mort*, trois thèmes exposés au début reparaissent à la fin, repris dans la tonalité initiale.

Cet art, bien entendu, n'est pas sans défauts. L'artificialité de certains personnages, l'invraisemblance de quelques pages de *Léviathan* et de plusieurs scènes de *Si J'étais Vous* font que l'œuvre romanesque de Green n'est pas toujours entièrement satisfaisante. Mais même dans les histoires les moins réussies (*Varouna, Si J'étais Vous*) que de pages extraordinairement belles ! André Gide n'avait pas tort de parler de la « puissance » de Green et de « cette sorte de sombre génie qui l'apparente aux plus grands (1). »

Le livre de souvenirs et confessions que Julien Green a publié, sous le titre de *Partir avant le jour* (1963), est un ouvrage très riche et profondément émouvant.(2) Les avenues qu'il explore, l'aventure spirituelle qu'il décrit, ne sont pas cependant extrêmement nouvelles ou originales.

Ce début d'autobiographie est, à certains égards, une version française de *Memories of Happy Days*, paru aux Etats-Unis il y a une vingtaine d'années.

(1) *Journal*, p. 920.

(2) Note de l'édition d'août 1963.

On retrouvera dans *Partir* certaines pages, certaines anecdotes déjà existantes dans le texte anglais. Certaines ne sont pas dépourvues d'humour : je pense, en particulier, à cette vignette où nous voyons Retta, la sœur du narrateur, renvoyée du lycée Molière pour avoir fait expédier à ses professeurs par un grand magasin de la rive gauche des monceaux de layettes, des pianos, un cercueil, des batteries de cuisine, etc., le tout, bien entendu, payable à la livraison. D'autres sont hallucinantes, comme cette prémonition et évocation de l'Ange de la Mort qui précédèrent la mort de Mme Green.

Partir, néanmoins, n'est pas une simple reprise des *Memories*. Le ton, tout d'abord, est différent. L'auteur, qui a commencé ce livre au soir de sa vie, raconte les événements avec plus de gravité et, surtout, avec un effort plus grand de sincérité totale.

Cette sincérité s'applique plus particulièrement aux problèmes sexuels. L'auteur évoque les songes, désirs, fantasmes et émois de son enfance avec beaucoup de lucidité et de franchise. Il nous montre aussi, avec plus de netteté que dans les *Memories*, le rôle joué par sa mère et par son entourage dans l'éveil et le développement de sa sensualité.

Mme Green semble avoir été, par bien des traits, une femme admirable. Mais ce fut aussi, à n'en pas douter, une assez maladroite éducatrice. Traumatisée elle-même, complexée par la mort d'un frère très beau et très aimé — mort peut-être causée par une maladie vénérienne — elle s'efforça de préserver son fils chéri de toute impureté, de tout contact honteux. Mais elle obtint un effet contraire à celui qu'elle espérait atteindre, car elle transmit à son fils à la fois « son horreur de l'impureté et l'espèce de fascination que cette horreur exerçait sur elle dès qu'il s'agissait de son dernier-né ».

L'enfant, d'autre part, fut élevé dans une atmosphère trop exclusivement féminine : une mère possessive et adorée, cinq sœurs, et tout un peuple de femmes de chambre, bonnes et cuisinières... On songe à l'enfance de Loti, à celle de Gide, à d'autres enfants couvés, choyés dans une ambiance sentimentale et sensuelle.

Peu ou pas assez de contacts humains avec le père. Après la mort de Mme Green, le jeune garçon sera entièrement livré à lui-même, c'est-à-dire à un certain « narcissisme », à une sensibilité « exagérée », à un amour immodéré de la littérature et de la musique, et aux dangers, aux gouffres de sa sensualité.

Certes, la religion reste là, avec son attraction toujours puissante, et le narrateur demeurera toujours, même au plus profond du péché, attiré par l'invisible et le surnaturel.

Partir projette des lueurs intéressantes sur la genèse possible de certains romans, sur l'origine probable de certaines scènes de violence des romans de Green. L'épisode de la lutte frénétique entre Joseph Day et Bruce Braileau dans *Moira* est en germe, par exemple, dans certains corps à corps entre le jeune garçon et ses camarades de lycée.

Comme dans tout ouvrage de Julien Green, on

trouvera dans *Partir* de fort belles pages, où la passion de la vérité et le goût du clair-obscur, l'appel de la chair et le sens de l'infini se disputent dans une perpétuelle et fascinante contradiction.

Je citerai seulement quelques lignes, prises au hasard à la fin du volume : « A Saint-Séverin, j'étais gothique, romantique et mystique. J'y priais avec délices, surtout si je m'y trouvais seul. La palmeraie de pierre me procurait un ravissement où l'art secondait la piété. En regardant ces voûtes et le merveilleux bariolage des vitraux, je me sentais heureux de croire et décidais que je serais un saint. Mon âme se désincarnait voluptueusement, je dis bien voluptueusement, car c'était dans une sorte de luxure spirituelle qu'elle se roulait à présent... Lointaine et dégoûtante me paraissait toute sensualité. »

Il faut espérer que Julien Green continuera cette autobiographie qui nous laisse, évidemment, sur notre faim, puisqu'elle s'arrête lorsque le narrateur atteint l'âge de dix-sept ans et part pour le front, en 1917, comme ambulancier.

CHAPITRE VIII

LE DRAMATURGE

Presque tous nos grands « classiques » du XXe siècle, de Gide à Mauriac en passant par Giraudoux, Montherlant, Martin du Gard (dont le beau drame, *Un Taciturne*, a frayé la voie à *Sud*) et même Bernanos (*Les Dialogues des Carmélites* sont un essai qui n'est pas loin d'être un coup de maître), se sont laissés séduire par le théâtre. Il y a là, en effet, à la fois un moyen de communication plus direct de l'écrivain avec ceux pour qui il écrit et une libération, une catharsis plus complète, plus totale qu'avec le roman. Beaucoup plus vite que toute autre œuvre littéraire, la pièce de théâtre, une fois achevée, cesse d'appartenir à l'auteur, parce qu'elle devient une synthèse de tous les arts et de la collaboration du public. Cet enfant qu'on expose aux regards de tous, on y renonce, on en abandonne la paternité, on s'en délivre totalement. C'est certainement une sensation nouvelle, une merveilleuse « purgation » et reprise d'équilibre, après avoir été chargé pendant des mois du poids de cette anxiété, de cette responsabilité, que d'en être libéré, d'un coup, à peu près définitivement.

Il était fatal qu'un jour ou l'autre Green, à son tour, écrivît pour la scène. Il y était prédisposé d'ailleurs par un goût très vif et très ancien pour le théâtre (1). Il avait pensé à traduire l'*Edouard II* de Marlowe. Plus tard, Jouvet, Jean-Louis Barrault lui conseillèrent d'écrire une pièce originale. L'influence de Jouvet fut sans doute déterminante (2).

Il avait, depuis longtemps, réfléchi à la nature du théâtre. Il voyait dans celui-ci quelque chose à la fois d'humain et de religieux. Un « jeu », mais au sens du « Jeu d'Adam et Eve » ; pas un « jeu cérébral » à la Pirandello : « ... Je demande au théâtre plus d'émotion et que cette émotion vienne du cœur et non seulement du cerveau (3). »

La conception des œuvres dramatiques de Green est identique à celle des romans. Seule l'exécution diffère. Elle oblige Green à se concentrer davantage et à développer des dialogues dont il avait déjà donné

(1) Faut-il faire remonter ce goût à une première initiation au théâtre, à l'âge de six ans, quand les parents de Green l'emmenèrent au Châtelet ? *Michel Strogoff*, en tout cas, frappa vivement l'imagination du jeune garçon (comme elle l'avait fait pour celle de Cocteau). Cf. *Quand nous étions ensemble*, pp. 35-40.

(2) Cf. *Journal VI*, p. 33 : « Une lettre de Louis Jouvet qui veut que je lui écrive une pièce... Sa lettre est chaleureuse, pressante. Elle fait suite à nos conversations d'avant-guerre sur ce sujet. » Voir aussi pp. 36, 37, 40, 59, 86, 87, 126.

(3) *Journal VI*, p. 34.

quelques exemples fort réussis dans ses romans (1). Comme dans les romans, Green se refuse à *composer*, à faire un plan. « Elle aura été écrite d'une manière étrange, cette pièce (il s'agit de *Sud*). J'en découvre le vrai sujet vers la fin, ainsi que cela m'est arrivé si souvent avec mes autres ouvrages. » Il laisse ses personnages *libres*. « Il aura fallu que je l'écrive pour en explorer tout le sens et que j'aille jusqu'au bout... Je suis toujours dépassé par mes personnages. Ils sont tellement sournois... (2) » Comme dans les romans aussi, l'auteur est discret, réservé, se refuse à appuyer. Il évite les gros effets, se borne à suggérer, par exemple, la tentation du suicide chez un de ses personnages (Broderick, dans *Sud*).

Chacune de ses œuvres dramatiques est, comme ses romans, une synthèse de sur-réalisme et de réalisme.

D'une part, les acteurs du drame sont en proie à des forces surnaturelles maléfiques, que nous percevons immédiatement grâce à certains personnages récepteurs (tels que la jeune fille de *Sud*, qui sent le Mal, et vibre en quelque sorte à l'appel de ces forces). Le lieutenant Jan, dans *Sud*, n'est pas seulement un exilé. C'est l'Etranger qui, en dehors même de son drame sentimental, est mêlé à une bagarre qui n'est pas la sienne et dans laquelle sa propre identité disparaît.

D'autre part, les individus qui sont évoqués pour

(1) Green déclare dans son *Journal* (I, p. 4) que les dialogues, dans ses romans, donnent *de l'air et du son*. Ils aident, incontestablement, à voir et à entendre les personnages.

(2) *Journal VI*, p. 145.

nous sur la scène sont des êtres en chair et en os, avec une très forte réalité charnelle. Dans *Sud*, on a une impression très physique du héros : ce lieutenant beau, noble, arrogant et poli, on le voit, il s'impose à nous, dès les premières répliques. Nous comprenons que la jeune fille puisse être attirée par lui, que l'adolescent Jimmy l'admire (parce qu'il veut lui ressembler). Erik Mc Clure, le jeune homme en noir, a, lui aussi, une présence physique extraordinaire, suggérée par des répliques telles que :

— « Puis-je vous demander, s'il vous plaît, pourquoi vous me regardez ainsi... (1) »

Ces personnages très réels qui luttent contre leur destin ont, comme les héros des romans de Green, des sursauts de révolte contre l'existence. Certains font quelques embardées dans le sadisme (le thème du fouet, dans *Sud*, est particulièrement intéressant à cet égard) ou dans le masochisme (la volonté d'humiliation de Régina, par exemple), deux refuges toujours présents — et toujours insatisfaisants — dans le monde de Green.

* * *

Sud (1953) est la première pièce que l'auteur ait fait représenter. Green lui-même la résume en citant la définition qu'Aristote a donnée de la tragédie : « La purification d'une passion dangereuse par une libération véhémente (2). » C'est une œuvre assez

(1) *Sud*, p. 122.
(2) *Idem* p. 6.

remarquable qui découvre graduellement, presque imperceptiblement, au spectateur les ravages d'un amour impossible, condamné d'avance, ignoré de l'un des deux partenaires et se terminant par le suicide de l'autre.

— « Je suis amoureux, Jimmy, amoureux comme jamais un être humain ne l'a été avant moi. Tous les hommes disent cela, sans doute, mais chacun d'eux a raison. Je ne peux plus vivre.

— Vous ne pouvez plus vivre ? Mais pourquoi ?

— Parce que la personne que j'aime ne peut pas m'aimer.

— Qu'allez-vous faire ?

— La chose la plus étrange de ma vie entière... Me jeter contre mon destin comme on se jette contre un mur (1). »

Déjà dans *Moïra*, la bataille au bord de l'étang entre Praileau et Day était en réalité une scène d'amour (2). Le jeune lieutenant de *Sud* « ne peut pas dire sa vérité ». D'où la violence de son attitude. Il étouffe, il est amoureux fou et d'un amour qui paraîtrait incompréhensible s'il le laissait deviner. En 1861, dans le sud des Etats-Unis et dans une société aussi fermée, on ne pouvait que se taire. Il essaie de se frayer un chemin à travers cet épouvantable silence. Il essaie « à coups de sabre (3). » « ... La terreur d'aimer

(1) *Idem* pp. 181-183.
(2) Cf. *Journal VI*, p. 23.
(3) *Idem*, pp. 138-139.

ce qu'on aime. » Cette phrase de Valéry pourrait être, dit Green, un résumé de la pièce (1).

D'autre part, le sujet plus profond de *Sud*, c'est « cette terreur de la catastrophe prochaine qui paralyse la vie (2) », sujet actuel entre tous et cependant éternel.

Sud a la rigueur d'une tragédie antique et observe, comme les tragédies grecques, les unités de lieu et de temps ; l'unité d'action, il est vrai, est un peu moins nette et c'est peut-être, du point de vue classique, la faute la plus grave. En fait, l'action qui est presque entièrement intérieure, et presque entièrement tue, est difficile à percevoir pour les spectateurs non prévenus. L'un d'eux nous disait : « La toile est là... mais elle tombe en poussière dès qu'on veut la saisir. » Cette critique n'a plus de raison d'être si on lit la pièce attentivement. Reste qu'il y a, dans *Sud*, plus de *suggestions* que *d'action* proprement dite. La pièce, cependant, a trouvé auprès du public et de la plupart des critiques plus qu'un succès d'estime. Elle est de celles qu'on aimera, sinon à voir, du moins à lire et à relire.

* * *

La seconde pièce de Green, *L'Ennemi*, est une œuvre mieux faite, plus concentrée. Il y a moins de

(1) *Idem*, p. 145.
(2) *Idem*, p. 48.

personnages que dans *Sud* et l'action est unique. Elle converge autour d'un drame d'essence religieuse. L'héroïne a la révélation de sa véritable nature jusqu'alors ignorée et qui est celle d'une mystique, au moment même où elle va céder, où elle cède à l'homme qui a entrepris de la séduire. Celui-ci, qui est un moine défroqué, a beau s'être donné au démon : il se fait l'instrument de la conversion de sa maîtresse. Par son satanisme même, il évoque le surnaturel. Tandis que l'« Ennemi », pour Pierre, c'est le Prince de ce monde, pour Elisabeth, c'est le mystérieux Ennemi de sa faute, par qui elle aspire à être vaincue :

« ELISABETH. — Pierre, qui avez-vous appelé à votre secours ?

PIERRE. — Avez-vous la simplicité de me demander son nom alors que depuis notre enfance il tourne autour de nous tous, si humble, si prêt à nous servir, si diligent... Vous voulez savoir son nom ? De tout temps on lui en a donné des plus magnifiques : le Prince de ce monde, l'Adversaire, le grand Rebelle. Pourquoi pas l'Ennemi, comme celui qui se tient près de vous et n'est peut-être que la même personne vue par d'autres yeux, l'Ennemi de la sottise et de la superstition, l'ennemi de tout ce qui rampe et de tout ce qui tremble en marmottant des prières d'esclaves...

ELISABETH. — Taisez-vous, Pierre. Celui qui se tient près de moi, n'est pas tel que vous dites. Il n'est l'adversaire que du mal. Oh, bienheureux ennemi, je me rends à toi. Je me réfugie dans ta lumière, je me cache dans ta charité... (1) »

La jeune femme devient folle, mais, nous dit Green, elle « ne fait naufrage que sur le plan humain ». Elle perd la raison et il y a de quoi : on lui a étranglé son amant. Sur le plan surnaturel, elle garde la foi comme elle peut et comme Dieu veut. Elle récite des bribes de l'acte de contrition dans son délire, elle est sauvée (2).

Cette belle pièce, écrite dans un style admirable, n'a pas trouvé auprès du grand public, peut-être à cause de son caractère exceptionnel, un accueil enthousiaste. Les connaisseurs, cependant, ont vu dans cette tragédie une « réussite manifeste (3). »

Ainsi, on le voit, Green, dans son théâtre comme dans ses romans, puise dans les mêmes abîmes de la condition humaine et dans ses préoccupations métaphysiques. D'autre part, de même que celui du romancier de *Moïra*, le talent du dramaturge « plonge ses racines dans le péché ».

La troisième pièce de Green, *L'Ombre* (1956), a pour cadre l'Angleterre victorienne.

Dix ans avant le début du drame, James Ferris a tué, dans un accès de passion, Evangeline Anderson, la femme de son meilleur ami. La justice a décidé

(1) *L'Ennemi*, pp. 133-134.
(2) *Journal VI*, p. 255.
(3) DUSSANE, dans le *Mercure de France*, 1er mai 1954, p. 123.

qu'il y avait eu mort accidentelle. Quant à Philip Anderson, il a vécu, pendant dix ans, sur l'idée que sa femme l'avait trompé avec Ferris. Or, Ferris, sur le point de mourir, vient faire une ultime confession à son rival : il aimait Evangeline, mais c'est parce qu'elle avait refusé ses avances qu'il l'a poussée du haut de la falaise. Philip qui, remarié, avait trouvé une sorte de bonheur tranquille entre sa seconde femme et sa fille Lucile, est repris et possédé peu à peu par *l'ombre* d'Evangeline. Pure, elle est à nouveau digne de son amour. Il se déprend peu à peu de sa seconde femme. Lorsque le fils de Ferris, obéissant aux dernières volontés de son père, vient lui rendre visite et commence à s'intéresser à Lucile, Philip revit les douloureux événements de jadis ; malade de passion et de jalousie, il rejoint Evangeline dans la mort en se précipitant du haut de la falaise.

Dans cette œuvre d'un contenu psychologique aussi riche que les précédentes, Green réussit à nous donner, tout au moins par moments, la sensation de l'invisible, des forces mystérieuses qui dominent un homme aux prises avec son destin, accomplissant dans la nuit son douloureux chemin de croix.

CHAPITRE IX

UNE AUTOBIOGRAPHIE SPIRITUELLE

Plus encore que par son œuvre romanesque ou dramatique, Green a réussi, par son *Journal*, à dire ce qui lui tenait le plus à cœur, à *communiquer* avec autrui et, dans une large mesure, à trouver l'audience qu'il souhaitait. Il n'est pas absolument certain que la postérité ne retienne surtout de lui cette autobiographie spirituelle qu'on peut, d'ores et déjà, placer très haut dans un genre où Maine de Biran, Amiel, Benjamin Constant et tant d'autres se sont distingués. Indiquons, tout de suite, d'ailleurs, que le *Journal* de Green ne ressemble tout à fait à aucun de ses prédécesseurs : c'est une œuvre d'une assez grande originalité, que nous essaierons de situer en la comparant à quelques-uns des *Journaux* du XXe siècle.

* * *

Dès 1919, Green avait commencé, de façon intermittente, à tenir un journal. Il n'avait pas l'intention de le publier. En fait, la plupart des carnets écrits entre 1919 et 1928 furent égarés ou brûlés.

Cependant, à partir de 1928, le *Journal* devient une œuvre et un souci majeurs de l'écrivain. Celui-ci prend l'engagement « de le tenir régulièrement et d'y mettre toute sa vie (1). » Vers 1937, il décide, non sans hésitation — car il abhorre l'*indiscrétion* et tout ce qu'elle implique — d'en livrer une partie au public. Six volumes paraîtront, entre 1938 et 1955, couvrant la période 1928-1954. Une seule période de silence un peu longue, due à la guerre : le *Journal*, interrompu pendant un an environ (1939-40), ne sera plus ensuite abandonné. Tâche indépendante, parallèle, jamais il ne nuira au reste de la production littéraire (différence assez considérable avec certains auteurs de qui le *Journal* a mangé l'œuvre).

Qu'est-ce donc que ce *Journal* et comment se distingue-t-il des autres journaux intimes d'un temps si fécond en confessions ou épanchements littéraires ? Pourquoi nous paraît-il plus profond que, par exemple, l'amusant, vivant, Saint-Simonien *Journal Littéraire* de Paul Léautaud ou même que les importants Journaux de Gide, de Mauriac, de Charles du Bos ?

Peut-être est-ce parce qu'il n'est pas, lui, exclusivement *littéraire*. Entendons-nous : il y est question de livres, de littérature — et plus d'une fois — et c'est un écrivain qui parle. Green s'y interroge sur ses romans, sur ses pièces de théâtre. Il s'y montre

(1) *Journal VI*, p. 28 ; à rapprocher de *Journal I*, p. 3 : « C'est ma vie entière que je compte mettre en ces pages, avec une franchise et une exactitude absolues... »

préoccupé du succès ou de l'insuccès de ses œuvres ; il souffre, comme tout homme de lettres, de l'incompréhension du public ou des critiques (1). Il ne déteste pas recevoir, lire de nombreuses lettres de lecteurs inconnus (2). Il a des *Coquetteries* d'artiste.

Mais Green n'est pas exclusivement un homme de lettres. Certainement pas au sens où Gide a pu l'être, voulant avoir *sa* revue, en créant une, bataillant dans l'arène littéraire (ou politique) et, *a fortiori*, cherchant à devenir le chef de file de sa génération. On voit mal Green chef de file de sa génération (ou des générations suivantes). Il n'est même pas littérateur au sens où Hawthorne, ce « puritain homme de lettres », a pu l'être : le côté *pratique* de la littérature, de la vie, lui est indifférent.

Les notations du *Journal* ne représentent pas, comme chez Gide, une tentative plus ou moins consciente de création littéraire, un *essai* d'analyse esthétique ou morale ; ou, comme chez Léautaud, la description du spectacle de la vie. Green ne cherche pas à reproduire des « tranches de vie » ou à approfondir ses impressions. « Les développements ne me tentent pas », dit-il volontiers. Ce qu'il souhaite plutôt, c'est d'atteindre — par l'émotion beaucoup plus que par la réflexion — la réalité profonde, c'est-à-dire, comme nous l'avons dit à propos des romans, ce qui existe derrière le monde des apparences.

(1) Il a été particulièrement sensible aux critiques de son roman *Epaves* et surtout de son théâtre.

(2) Il déclare se jeter sur ce courrier *avec avidité*.

Le *Journal* de Green nous apparaît comme l'histoire d'une âme, ou, plus exactement, les demi-confidences, le dialogue avec soi-même d'un homme délicat, réservé, sincère, qui essaie de dire la vérité. (« Dire la vérité est difficile, presque impossible. J'ai essayé de le faire et je n'ai pas fini d'essayer. ») Green ne nous livre pas tout, mais cela, il ne nous le cache pas : il a plusieurs fois déclaré que le texte intégral de ce *Journal* qu'il sait être sa meilleure œuvre ne pourrait être publié qu'après sa mort :

« ... R. m'a parlé de (mon) Journal dont il a lu de grandes tranches dans le texte complet. Il y voit un livre dont on ne connaît pas d'équivalent parce qu'on y trouve tout l'homme passant d'un extrême à l'autre. Je voudrais beaucoup qu'on publie ces pages... Je crois qu'un jour ce sera possible. Dans l'état actuel, ce journal paraîtrait effarant... Ce n'en est pas moins mon meilleur livre (je parle bien entendu du texte intégral). C'est pour cela que je veux essayer de le sauver (1). »

« ... Un journal comme celui que je tiens... ne livre qu'une partie de la vérité. J'entends par là : ce qui intéresse l'invisible est en général passé sous silence. Le temporel envahit tout... A peine devine-t-on la présence d'autre chose. Sans doute y a-t-il là de ma part une réaction excessive contre la littérature édifiante (2). »

Ce qui nous semble important, en tout cas, c'est

(1) *Journal VI*, p. 16.
(2) *Idem*, p. 233.

que Green *se* dise tout et nous laisse entrevoir l'essentiel, à savoir la bataille constante qui se livre en lui entre deux réalités, la réalité charnelle et la réalité métaphysique (1). Nous voyons reportés dans le *Journal*, aussi fidèlement que possible, sans excuses ni artifices, les contradictions (petites et grandes) entre l'enfant apeuré, l'homme doux, détaché, et l'égocentrique orgueilleux et violent qui coexistent en un seul être, les réussites aussi bien que les défaillances, ce que Green appelle ses hauts et ses bas :

« ... Un homme se tient debout près d'une fenêtre et regarde tomber la neige, et tout à coup se glisse en lui une joie qui n'a pas de nom dans le langage humain. Au plus profond de cette minute singulière, il éprouve une tranquillité mystérieuse que ne trouble aucun souci temporel ; là est le refuge, le seul, car le Paradis n'est pas autre chose qu'aimer Dieu, et il n'y a pas d'autre Enfer que de n'être pas avec Dieu (2). »

« ... Quelle chose délicate qu'une âme ! Devant ces grandes toiles, il crut sentir sur lui le souffle même du démon, et peut-être celui-ci n'avait-il pas de moyens plus puissants pour l'attirer à lui. Pendant plusieurs minutes, cet homme fut la proie d'une tristesse horrible et très voisine du désespoir. Le christianisme lui apparut tout à coup comme une

(1) Cf. *Journal V*, p. 26.

(2) *Journal III*, p. 61.

chimère. Dehors, sur la terrasse, le cœur lui battait encore, mais peu à peu il se retrouva (1). »

La sincérité, l'honnêteté envers soi-même sont les fondements essentiels de ce *Journal*. Green se rend parfaitement compte que son œuvre n'a de prix que par le rejet de toute tricherie. Il lui est dur, parfois, d'écrire certaines phrases : « Le lecteur ne peut savoir ce qu'il en coûte ... ni d'où elles viennent, de quels abîmes de tristesse... (2) » ; mais c'est ainsi que se rétablit, « durement », un équilibre sauveur.

Nous suivons dans le *Journal* les obsessions d'un homme qui, depuis son enfance, a été hanté par l'indicible, par les *ailleurs*, par les *pays lointains*, par le surnaturel, l'invisible, l'indescriptible ; d'un amant de la beauté (« à vingt ans, amoureux de tous les beaux visages du monde... (3) »), de cette beauté qui devrait être « le signe d'une perfection spirituelle latente » (4) et qui est, hélas, si souvent trahie ; d'un mystique qui a, en même temps qu'un corps constamment tenté par le charnel, une âme inassouvie, dominée par une *ingouvernable* faim, d'un homme aux sentiments d'une véhémence extrême qui nous dit, à propos d'*Andromaque*, combien il a été « troublé par cette pièce effrayante, par ces cris, par cette

(1) *Journal V*, p. 176. Voir aussi *VI*, p. 6 : « L'envie de quitter le monde est parfois si forte que je ne sais comment j'y résiste... »

(2) *Journal VI*, p. 209.

(3) *Journal IV*, p. 167.

(4) *Idem*, p. 175.

fureur. Je connais cela. J'ai moi-même souffert ainsi (1). »

Mais le *Journal* n'est pas seulement important par cette sorte d'autobiographie spirituelle parfaitement sincère qu'est le portrait de son personnage principal. Ce n'est pas seulement une méditation introspective de solitaire. Le narrateur accepte le monde, se mêle aux hommes, quelquefois malgré lui, mais jamais avec mépris. Toujours, il respecte l'être humain (et voilà une qualité qu'on ne trouvera pas toujours chez d'autres auteurs contemporains de Journaux intimes) :

« ... Le respect du prochain m'aura nui, en ce monde, aux yeux de certains hommes, mais je n'ai jamais pu voir en mon prochain quelqu'un de banal ; il m'a toujours paru unique. Cela tient peut-être à une éducation religieuse, à la notion chrétienne de la valeur de chaque individu, des individus rachetés un à un, et à ce que chacun représente d'invisible (2). »

Green respecte non seulement les gens qu'il rencontre, mais ceux qu'il cite (il leur soumet toujours le texte des passages les concernant) et surtout, le lecteur, l'homme ou la femme pour qui il écrit en se livrant lui-même : car cet « être unique et multiple » est « tout le monde », et, tout en s'intéressant à soi, « on apprend ainsi beaucoup sur les autres. »

Green nous emmène parfois à sa suite sur les chemins de l'amitié. Les pages qu'il consacre à ses amis

(1) *Journal V*, p. 149.
(2) *Journal VI*, p. 228.

sont parmi les plus belles, les plus émouvantes, à cause, en grande partie, de cette affection mélangée du respect de la personne humaine qu'il leur porte. Il a été l'ami de Gide, du Père Couturier ; l'un et l'autre ont tenté de le « convertir » ou de le pousser dans certains sens ; à l'un et à l'autre, il a résisté, mais en réussissant à sauvegarder, sans compromission ou concession aux autres ou à soi-même, ces rapports de confiance et de respect mutuel qui font le prix d'une véritable amitié.

Sur ses amis, sur des hommes qu'il a simplement connus ou rencontrés, abondent, dans le *Journal*, des notations, réflexions ou croquis à la fois exacts et infiniment bouleversants.

Qu'il me suffise de citer ici ces quelques lignes consacrées à Gide et à Colette :

« ... Chez Gide pour la dernière fois. Dans l'antichambre obscure, une foule silencieuse... Tout à coup je vois Gide dans une pièce attenante au salon. Il est couché sur un petit lit de fer, les bouts des doigts joints. Ce n'est pas tout à fait le geste de la prière, mais cela y fait penser. La tête rejetée en arrière est d'une grande noblesse. Il n'a pas l'air de dormir, mais de réfléchir. En redescendant l'escalier, croisé J..., tout guilleret à l'idée qu'il va voir un mort. « Je vois bien que vous avez de la peine », me dit-il, « car il vous aimait beaucoup. » Pas répondu. Dans la rue, à ma grande honte, j'ai pleuré (1). »

(1) *Journal VI*, p. 66.

Et voici Colette, évoquée dans son petit salon rouge du Palais-Royal :

« ... On ne peut la voir sans l'aimer. Ses grands yeux sont les plus beaux yeux de femme que je connaisse, des yeux beaux comme ceux d'un animal, remplis d'âme jusqu'aux bords, et de tristesse... (1) »

Le spectacle du monde inspire fréquemment à Green des réflexions de moraliste. Il proteste contre « la saleté, la tristesse dans laquelle tant de gens sont forcés de vivre », contre les « contrefaçons » de bonheur qu'on trouve dans les endroits où l'on est censé s'amuser, contre le « morne Montmartre » où rôdent la misère et la maladie. Il sait qu'il y a « trop de souffrances au monde » et se reproche d'avoir tendance à l'oublier. Il dénonce la tiédeur, l'indifférence, le pharisaïsme, le catholicisme prosaïque, « fonctionnel » de certains « fidèles » aux vues courtes, l'acceptation du vice et de la laideur sous toutes leurs formes. (« Il faut qu'intérieurement quelque chose dise non, même si le corps dit oui (2) ».) Par son art, il rend sensibles au lecteur les illusions et l'insignifiance de certaines « réalités ».

Pour Green, les seules réalités sont le travail et l'amour de l'aventure humaine (car, pour Green comme pour Bernanos, la vie est une aventure où « tout est à recommencer toujours ») et elles se confondent ; tout le reste n'est qu'« enchantement (3) ».

(1) *Journal VI*, p. 132.
(2) *Journal V*, p. 18.
(3) *Journal II*, p. 194.

Ainsi, cet écrivain qui a la réputation d'être un pessimiste aveugle au monde réel nous apparaît, beaucoup plus, comme un dissipateur d'illusions, un dénonciateur, comme Proust, de la comédie sociale, des faux-semblants qui mènent les hommes : « Je m'émerveille... de l'importance qu'on accorde à des choses sans réalité profonde. Je connais un homme qui a été malheureux pendant plusieurs jours parce qu'on l'avait présenté au Vicomte de N... après, et non avant, telle personne qu'il méprisait (1). »

« ... L'inanité du monde est accablante... c'est un devoir (de) jouer cette... comédie, mais il ne faut pas perdre le sentiment que c'est une comédie (2). » Et il ne faut jamais jeter les armes, renoncer à la lutte : « C'est combattre qui importe, même si on est battu chaque fois ; accepter, acquiescer est affreux... Le silence de l'âme ne peut être qu'un silence de mort... (3) »

« L'expérience d'un seul peut servir à beaucoup », dit-il dans le *Journal.* Chaque homme n'est-il pas à lui seul « l'humanité tout entière ? (4) » Il n'est pas douteux que ces livres aient éclairé certains lecteurs (sur les autres comme sur eux-mêmes), apporté à plusieurs joie et réconfort (5).

(1) *Journal I*, p. 43.
(2) *Journal VI*, p. 313.
(3) *Journal V*, p. 18.
(4) *Journal II*, p. 85.
(5) « Il est curieux de constater », dit P. Sipriot, « combien la recherche du pur intemporel dans les choses entre-

Le *Journal*, en effet, est, en même temps qu'autobiographie d'une âme particulièrement intéressante (nous ne pourrions l'appeler *exemplaire* sans équivoque, mais c'est pourtant l'épithète qui conviendrait le mieux), un *exercice* spirituel auquel tout lecteur peut participer. Et c'est par là, peut-être, que le *Journal* de Green se distingue le plus des *confessions, méditations* ou *chroniques* des littérateurs de notre temps.

« ... ne suis-je pas moi-même unique et multiple et n'est-ce pas dans la mesure où je suis tout le monde que cela m'intéresse de me regarder agir ? (1) »

L'auteur dialogue, en quelque sorte, avec le lecteur :

« ... Chaque volume de mon journal est une réponse à toutes les lettres que je reçois (2). »

Le *Journal* de Green nous invite à mieux nous connaître. Il nous montre le prix de notre âme, et aussi le prix du temps, de ces belles journées, de ces « heures qui ne se retrouveront jamais », de ces joies intemporelles, de ces richesses lumineuses que toute existence a connues sans parfois les apprécier ou même les percevoir suffisamment : « L'immense majorité des hommes vit dans une profonde ignorance d'eux-mêmes, de richesses dont ils ne font rien, d'un bonheur indescriptible à côté de quoi ils passent

(1) *Journal VI*, p. 152.
(2) *Idem*, p. 3.

---

tient au fond une onde immense de confiance qui retentit sur toute une vie... » (*Table Ronde*, mai 1955, p. 76).

en se lamentant sur les misères de cette vie ...(1) » Car la vie est belle aussi, puisqu'elle vient de Dieu. « Beaucoup pensé à la beauté de la vie. Regarder le feu, ouvrir un livre, écouter de la musique, tout cela est donné, tout cela est saint. C'est le cadeau que Dieu nous fait tous les jours. Aimer surtout... (2) »

Green nous révèle la liaison entre ces *réalités* mystérieuses, inexprimables, « derrière l'épaisseur de ce monde (3) », trop souvent négligées au profit du matériel, du charnel, du visible, du tangible, et le véritable bonheur ou la confiance rayonnante dans l'invisible, dans l'inexprimé, qui s'identifie au bonheur.

« Chaque vie humaine est un chemin qui mène à Dieu. » De Green, comme de Husserl, auteur de cette phrase, on pourrait dire : « bénis soient les hommes qui disent de telles choses, car elles aident à vivre et tiennent en respect le désespoir (4). »

Ajoutons que le *Journal* est une œuvre d'art. Tous les lecteurs sensibles au prestige du style ne pourront manquer de reconnaître dans son auteur un des grands écrivains de notre temps. Sa langue pure, décantée à l'extrême, est arrivée peu à peu à une sorte de perfection dont les meilleurs modèles se trouvent dans le *Journal*. J'ouvre au hasard le tome III, et je tombe sur ces lignes :

(1) *Journal VI*, p. 313.
(2) *Idem*, p. 303.
(3) *Journal II*, pp. 84-85.
(4) *Journal VI*, p. 327.

« ... Que font les heures que nous perdons, et où vont-elles ? Elles s'habillent des étoffes les plus riches, elles se couvrent la tête d'un voile et se coiffent d'un diadème orné d'améthystes, de sanguines et de sombres rubis, et elles attendent le jour où elles viendront témoigner contre nous ; elles diront dans les larmes que nous les avons délaissées alors qu'elles étaient belles et qu'elles méritaient nos soins, car chacune d'elles avait quelque chose à nous donner, et ces présents dont nous n'avons pas voulu, elles souffrent de les avoir conservés, inutiles, dédaignés, et pourtant magnifiques (1). »

Comment rester insensible à une pareille poésie, à une si émouvante musique, à cette suggestion de l'inexprimable ?

Telles sont les diverses raisons pour lesquelles ce *Journal*, cette autobiographie spirituelle d'un poète, d'un artiste et d'un moraliste, nous paraît de première importance. A notre sens, ce n'est pas seulement le chef-d'œuvre de l'écrivain : c'est aussi, probablement, un des ouvrages les plus émouvants et les plus beaux de notre temps.

(1) *Journal III*, p. 97.

NOTE DE L'ÉDITION DE 1963

CHAQUE HOMME DANS SA NUIT

Depuis 1957, Green a publié d'autres pages de son journal intime (*Le Bel Aujourd'hui*), mais surtout un roman très remarquable, *Chaque homme dans sa nuit*.

Chaque homme dans sa nuit se passe, comme *Moira*, en Amérique. Cette fois, cependant, il ne s'agit plus du Vieux Sud virginien, mais de la Nouvelle-Angleterre. Comme dans *Moira*, la scène est une petite ville, l'époque les années 1920, le héros un jeune Américain dont l'âme est disputée entre Dieu et le Diable. Le milieu est presque entièrement protestant, mais le personnage principal est catholique.

C'est un beau jeune homme sombre nommé Wilfred. Il n'est pas spécialement cultivé ni curieux, occupe un emploi modeste et assez mal rémunéré et ne possède aucune des vertus qui permettent de briller dans le monde. Mais il a la foi et respire la piété et la pureté. Ce n'est pas qu'il ne soit pas constamment exposé à la tentation et qu'il n'y cède jamais. Bien au contraire : il erre la nuit dans les rues, fréquente les bars louches, intéresse par sa beauté et son apparente pureté des hommes et des femmes ravagés de désirs.

Un petit héritage lui permet de reprendre contact avec des parents riches, avec son beau cousin Angus et la mère de celui-ci — un couple qu'eût pu imaginer Tennessee Williams — avec sa cousine par alliance Phoebe, une femme mariée dont il tombe éperdument amoureux et qui serait prête, elle aussi, à l'aimer.

Dans ce combat douteux entre l'ombre et la lumière, Wilfred est ambivalent : il éveille le désir charnel et le ressent de façon dévastatrice, mais il lui arrive aussi de le combattre — victorieusement, dans le cas de Phoebe. D'autre part, il éveille chez ceux qu'il rencontre d'autres convoitises, d'autres désirs que ceux de la chair.

Nous le rencontrons d'abord dans la maison de campagne où agonise son oncle Horace. Il l'aide à mourir, à faire une bonne fin, il lui apporte l'amour, la foi, la lumière. Appelé au chevet d'un de ses camarades qui, affolé par la chair et la crainte de contracter une horrible maladie, a décidé d'en finir avec la vie, Wilfred le baptise et fait de lui, *in extremis*, un catholique. Il aide également, par le rôle spirituel qu'il joue auprès d'eux, son cousin Angus, son patron au magasin, et même l'horrible, l'équivoque Max, qui finira par l'assassiner et à qui il offre son pardon avant de mourir.

Wilfred est donc à la fois l'homme qui lutte dans sa nuit et le porteur de lumière. Le personnage est plus riche que celui de Joseph Day dans *Moira*. Joseph était seulement le puritain, le fanatique religieux qui avait nié sa chair et découvrait trop tard son noir secret. Wilfred est aussi un puritain, à sa façon, et sa tante lui dit, non sans raison : « Tu as parfois des yeux de fanatique. »

Rien de plus éloigné de sa conception de la religion que celle de cette femme du monde, de cette tiède qui déclare à son neveu : « Je ne suis pas ennemie de la religion, mais en doses raisonnables. Il en faut un peu, mais d'après ce que l'on m'en dit, tu prends la tienne bien au sérieux, presque au tragique. » Presque au tragique, « ces paroles tombaient mal, mais d'une façon bizarre, elles disaient vrai ».

La foi de Wilfred est une foi absolue, habitée de violence, comme celle de Joseph Day. On se rappelle les gestes d'assassin de celui-ci. Wilfred est, lui aussi, tenté de frapper : « Avec quel plaisir il aurait arraché les jolis petits favoris du barman par touffes sanglantes. » Mais à travers la violence, les troubles des sens et les tentations multiples, la lumière perce. Ainsi est justifié le vers qui donne son sens au titre du roman : « *Chaque homme dans sa nuit s'en va vers sa lumière.* »

Ce livre obsédé et obsédant est admirablement composé et écrit. Wormsloe, la maison de campagne où se passe la partie la plus importante du roman, n'est pas moins brillamment évoquée que Mont Cinère ou que les cadres de *Moira* et d'*Adrienne Mesurat*. Les détails réalistes abondent, les décors sont vrais, les incidents vraisemblables, et tout cela prépare le lecteur à accepter le vrai drame, qui se passe, comme d'habitude, au-delà des réalités, dans le royaume de l'invisible. L'auteur, dont le *Journal* nous révèle les constantes préoccupations mystiques, a fait passer une grande partie de son expérience personnelle dans son œuvre et celle-ci n'en est que plus frappante.

C'est une œuvre profondément sérieuse, limitée par des bornes spirituelles, mais belle et puissante.

BIBLIOGRAPHIE

DES ŒUVRES DE JULIEN GREEN

1924 *Pamphlet contre les Catholiques de France* (sous le pseudonyme de Théophile Delaporte, Paris. Éditions de la Revue des Pamphlétaires).

1926 *Mont-Cinère* (Plon).

1927 *Suite Anglaise* (Les Cahiers de Paris).
Le Voyageur sur la Terre (Gallimard).
Adrienne Mesurat (Plon).

1928 *Christine* suivi de *Léviathan* (Éditions des Cahiers Libres).
Un Puritain Homme de Lettres : Nathaniel Hawthorne (Éditions des Cahiers Libres).
Les Clefs de la Mort (J. Schiffrin).

1929 *Léviathan* (Plon).

1930 *Le Voyageur sur la Terre,* suivi de *Les Clefs de la Mort, Christine, Léviathan* (Plon).

1931 *L'Autre Sommeil* (Gallimard).

1932 *Épaves* (Plon).

1934 *Le Visionnaire* (Plon).

1936 *Minuit* (Plon).

1938 *Journal I,* 1928-1934 (Plon).

1939 *Journal II,* 1935-1939 (Plon).

1940 *Varouna* (Plon).

1941 « An Experiment in English » (*Harper's Magazine,* septembre).

1942 *Memories of Happy Days* (New York, Harpers).

1943 *Quand nous étions ensemble* (dans *Les Œuvres Nouvelles,* New York, Éditions de la Maison Française).

1946 *Journal III,* 1940-1943 (Plon).

1947 *Si j'étais Vous* (Plon).
Le Mannequin (extrait d'un roman inédit, publié dans *Lunaires,* Carte du Ciel, Cahier de Poésies, Plon).

1949 *Journal IV,* 1943-1945 (Plon).

1950 *Moïra* (Plon).

1951 *Journal V,* 1946-1950 (Plon).

1953 *Sud* (1) (Plon).
1954 *L'Ennemi* (2) (Plon).
1955 *Journal VI*, 1950-1954 (Plon).
1956 *Le Malfaiteur* (Plon).
L'Ombre (3) (Plon).
1958 *Le Bel Aujourd'hui* (Plon)
1960 *Chaque Homme dans sa Nuit* (Plon).

INDICATIONS BIBLIOGRAPHIQUES

SUR JULIEN GREEN, L'HOMME ET L'ŒUVRE

Fernand BERNIER, *Le Sentiment religieux chez Julien Green* (Québec, Revue de l'Université Laval, janvier-mars 1963).

Rachel BESPALOFF, *Cheminements et Carrefours* (Vrin, 1938).

Jean-Claude BRISVILLE, *Julien Green* (Gand, La Sixaine, 1947).

I.-W. BROCK, « Julien Green : A Biographical and Literary Sketch » (*The French Review*, March 1950, pp. 347-359) (4).

Pierre BRODIN, *Présences Contemporaines* (Debresse, 1954).

Marc EIGELDINGER, *Julien Green et la Tentation de l'Irréel* (Éditions des Portes de France, 1947).

(1) Représenté pour la première fois, au Théâtre de l'Athénée-Louis-Jouvet, le 6 mars 1953.

(2) Représenté pour la première fois, au Théâtre des Bouffes-Parisiens, le 1er mars 1954.

(3) Représentée pour la première fois, au Théâtre Antoine, le 19 septembre 1956.

Antoine FONGARO, *L'Existence dans les Romans de Julien Green* (Rome, Signorelli, 1955).

Michel GORKINE, *Julien Green* (nouvelles éd. Debresse, 1956).

Anne GREEN, *The Selbys* (New York, Dutton, 1930).
With Much Love (New York, Harpers, 1948).
Mes jours évanouis (traduction de Marie Canavaggia, Plon, 1951).

Edmond JALOUX, *Perspectives et Personnages* (Plon, 1931).

S.-E. JELLIFFE, *A Consideration of Julian Green* (1936).

L.-Clark KEATING, « Julian Green and Nathaniel Hawthorne » (*The French Review,* May 1955).

Charles E. KŒLLA, « La Puissance du Rêve chez Julien Green » (*P. M. L. A.,* June 1939).

Dayton KOHLER, « Julian Green : Modern Gothic » (*Sewanee Review,* April 1932).

Henri LAURESNE, *Deux Romanciers de la Solitude morale : George Eliot et Julien Green* (Le Rouge et le Noir, 1928).

Frédéric LEFÈVRE, *Une Heure avec...* (5e série) Gallimard, 1939).

Gaétan PICON, « Julien Green » (*Fontaine,* n° 55).

André ROUSSEAUX, *Littérature du XXe siècle,* vol. II (Albin Michel, 1939).

Marie SCHEIKÉVITCH, *Time Past* (Boston, 1935).

Samuel STOKES, *Julien Green and the Thorn of Puritanism* (King's Crown Press, New York, 1955).

(4) On trouvera, à la fin de l'article de Mr. Brock, une note bibliographique assez complète (pour la période antérieure à 1950), comprenant, outre les ouvrages publiés, quatre thèses manuscrites. D'autre part, une bibliographie critique de 59 pp. par Frère Marie-Gustave, é. c., est déposée à la Faculté des Lettres de l'Université de Montréal (1958-1959).

PAGES DE JOURNAL

DE JULIEN GREEN (1)

De l'avis unanime, le journal de Julien Green - dont sept tomes (1928-1958) ont paru à ce jour - constitue l'un des grands témoignages spirituels de l'heure.

Nous remercions vivement l'auteur et la librairie Plon d'avoir bien voulu nous laisser choisir quelques pages caractéristiques de cet itinéraire d'une âme éprise de Dieu.

TOME I

1930

27 mars. — Déjeuné avec Malraux, à la *Pergola*, avenue du Maine. Il croit que je fais mes livres d'après des plans et suivant une technique bien raisonnée. Inutile d'expliquer. J'aime mieux écouter ce qu'il a à dire. Il déclare redouter, non la mort, mais la cinquantaine et l'impuissance sexuelle de cet âge, impuissance qui est un signe de mort. Nous parlons de la jeune génération littéraire, celle de vingt à vingt-cinq ans, et du peu d'intérêt de ce qu'elle fait. « Que voulez-vous qu'ils fassent ? demande

Malraux. Ils ont grandi à une époque paisible, ils n'ont pas éprouvé la secousse d'une guerre ou d'une révolution, qui nous aura été si utile. » Et plus tard, il dit ceci qui me frappe beaucoup : « Entre dix-huit et vingt ans, la vie est comme un marché où l'on achète des valeurs, non avec de l'argent, mais avec des actes. La plupart des hommes n'achètent rien. »

1932

4 *avril.* — Pierre Bost vient m'interroger sur mon attitude à l'égard de la politique. J'essaie de rassembler les éléments d'une réponse, mais tout ce que je pense sur ce point se réduit à ceci : « *Je hais la politique.* Elle est cause que ce que j'aime est en danger, elle menace la liberté individuelle, elle menace le bonheur, elle me dérange dans mon travail. Je crois de tout mon cœur à la littérature et à l'œuvre d'art. Cette foi est absolument étrangère aux préoccupations de la politique. » Dans le monde actuel, où donc est ma place ? Je n'en sais rien.

TOME II

Journal sans date 1935-1939

La musique s'est mêlée à toute ma vie et à ce point qu'il me serait difficile de concevoir l'une sans l'autre. Je ne suis pas sûr que cela soit tout à fait bon, mais il est trop tard pour y changer quelque chose. Avec le temps j'ai appris à me dégager peu à peu de certaines influences musicales et surtout à ne plus considérer la musique comme un refuge dans les moments difficiles ; au contraire, c'est dans ces moments-là que je la fuis et je ne veux plus l'entendre que dans le calme, et si cela est possible, dans le bonheur. Dorloter sa mélancolie en la nourrissant de toute la tristesse des Nocturnes, non.

Le premier concert que j'entendis fut donné dans l'ancien *Trocadéro*, vers la fin de la guerre. Le fameux écho de cette salle désastreuse joua d'abord à cache-cache avec la *Marche hongroise* de Berlioz. Puis, une dame se fit entendre dans un air de Haendel et les murs lui renvoyèrent ses harmonieux bêlements avec une fidélité implacable. Le programme était copieux et varié. Il y eut encore autre chose que j'ai oublié, puis l'entracte. Ensuite, dans un grand silence, un murmure égal et profond et le vol d'un oiseau noir au-dessus de l'abîme : premières mesures de la *Neuvième Symphonie* qui furent pour moi la révélation d'un monde nouveau. Jusque-là, j'avais cru que toute émotion religieuse ressortissait nécessairement au catholicisme, mais la voix que j'entendais dans cette musique surnaturelle me parlait d'un univers infiniment plus étendu que je ne l'avais soupçonné ; je reconnus avec étonnement que le sens du divin n'était pas l'apanage exclusif de l'Eglise. Moins ignorant, j'eusse été moins troublé. Ce n'était pas que l'Eglise me parût moins vraie, mais elle devenait autre à mes yeux et ce changement m'inquiétait, car je ne savais ce qu'il pouvait en sortir. Les jours qui suivirent ne me rendirent pas la paix.

Un long travail s'était fait en moi, et tout à coup, dans une région obscure de mon esprit, quelque chose éclatait. La terre que j'avais appris à dédaigner me parut d'autant plus belle et plus attirante que je pensais me retirer du monde, mais je n'osais m'avouer que je m'étais trompé, et des souffrances commencèrent dont je ne me suis jamais tout à fait remis. Ce qui me paraît plus curieux que tout le reste, c'est qu'ayant bien des fois entendu depuis la *Neuvième Symphonie*, je n'ai jamais pu y retrouver ce caractère religieux que je lui prêtai tout d'abord.

TOME III

Janvier 1941

Jeudi 30 *janvier.* — Aimer à en mourir quelqu'un dont on n'a jamais vu les traits ni entendu la voix, c'est tout le Christianisme. Un homme se tient debout près d'une fenêtre et regarde tomber la neige, et tout à coup se glisse en lui une joie qui n'a pas de nom dans le langage humain. Au plus profond de cette minute singulière, il éprouve une tranquillité mystérieuse que ne trouble aucun souci temporel ; là est le refuge, le seul, car le Paradis n'est pas autre chose qu'aimer Dieu, et il n'y a pas d'autre Enfer que de n'être pas avec Dieu.

Mai 1942

11 *mai.* — Te voilà donc, à près de quarante-deux ans... Que penserait de toi le garçon que tu étais à seize ans, s'il pouvait te juger ? Que dirait-il de ce que tu es devenu ? Aurait-il seulement consenti à vivre pour se voir ainsi transformé ? Est-ce que cela en valait la peine ? Quels secrets espoirs n'as-tu pas déçus dont tu ne te souviens même pas ? Il serait passionnant, quoique triste, de pouvoir confronter ces deux êtres dont l'un promettait tant et l'autre a si peu tenu. J'imagine le plus jeune apostrophant l'aîné sans indulgence : « Tu m'as trompé, tu m'as volé. Où sont tous les rêves que je t'avais

confiés ? Qu'as-tu fait de toute cette richesse que j'ai si follement remise entre tes mains ? Je répondais de toi, j'avais promis pour toi. Tu as fait banqueroute. J'aurai mieux fait de m'en aller avec tout ce que je possédais encore et que tu as gaspillé. Je ne t'admire pas, au contraire. » Et que dirait l'aîné pour se défendre ? Il parlerait d'expérience acquise, d'idées inutiles jetées par-dessus bord, il mettrait en avant quelques livres, il parlerait de sa réputation, il chercherait fièvreusement dans ses poches, dans ses tiroirs, quelque chose pour se justifier. Mais il se défendrait mal ; et je crois qu'il aurait honte.

12 *mai.* — Une vue surnaturelle de notre vie, qui l'a jamais eue sur terre, à l'exception de quelques saints ? Nous serons mieux informés après la mort. Etrange sera le changement d'optique qui s'opérera. Ce qui nous paraissait d'une extrême importance, du temps que nous étions de ce monde, disparaîtra de notre mémoire. En revanche, mille choses dont nous avions perdu le souvenir ressurgiront pour nous juger. A tel jour de ton enfance alors que tu jouais tout seul dans la chambre de ta mère et que le soleil brillait sur tes mains, telle pensée est venue vers toi, parée comme une messagère du Roi ; et tu l'as accueillie avec joie, mais plus tard tu l'as repoussée. Or, elle t'eût gardé, soutenu. Quand tu marchais sous les platanes de telle avenue et que ton cousin t'a dit telle parole, tu as compris d'abord que cette parole te venait de ma part, mais tu l'as ensuite « oubliée », parce qu'elle contredisait en toi le goût du plaisir. Telle lettre déchirée, jetée au panier ou brûlée, t'eût tiré d'affaire et rendu à la foi, mais tu ne voulais pas, tu ne voulais pas me donner cette liberté que je mendie aux hommes depuis qu'ils sont sur terre.

TOME IV

2 *mai* 1943. — Toujours rêvé d'une vie d'où la sensualité serait absente, non par l'effet d'une discipline ascétique, mais par la nature même de cette existence idéale, mais n'est-ce pas là rêver le bonheur de l'enfance ? Je sais que, si je disais cela, j'aurais contre moi les psychiatres qui veulent que l'enfance soit une période de grande sexualité, et sans doute ont-ils raison, mais un enfant ne souffre pas de la sexualité, il n'en a même pas conscience, et virtuellement elle n'existe pas pour lui, ce qui permet le bonheur dont je parle.

(Août 1948. — *Qui voudrait, cependant, d'un bonheur aussi douteux? Que l'instinct sexuel soit cause de beaucoup de souffrances, cela va sans dire, mais il est aussi, à part ses manifestations toutes physiques, un élément d'activité essentiel et qu'on retrouve, selon moi, partout, aussi bien dans le domaine de l'esprit, de la création littéraire, que dans le spirituel même. L'odieux qu'ont jeté sur lui les écrivains catholiques et protestants est une des plus tristes erreurs du puritanisme dont les origines sont bien antérieures au dix-septième siècle. Très difficile, du reste, de s'en dépêtrer. En plein vingtième siècle, nos idées sur la religion sont encore si singulières qu'on n'est pas religieux aux yeux du monde si l'on n'est aussi tant soit peu puritain. L'ennemi numéro un pour le dévot, c'est l'instinct sexuel; il n'oublie qu'une chose, c'est que cet instinct vient de Dieu.)*

TOME VI

16 *novembre* 1954. — ... Si j'avais été seul au monde, Dieu y aurait fait descendre son Fils unique afin qu'il fût crucifié et qu'il me sauvât. Voilà, me dira-t-on un

étrange orgueil. Je ne le crois pas : cette idée a dû traverser plus d'une tête chrétienne. Mais qui donc l'aurait jugé, condamné, battu et mis en croix ? *N'en doutez pas une seconde : c'est moi.* J'aurais tout fait. Chacun de nous peut dire cela, tous tant que nous sommes et de tous les coins du monde. S'il faut un Juif pour lui cracher au visage, me voilà. Un fonctionnaire romain pour l'interroger, un soldat pour le tourner en dérision, un bourreau pour le fixer avec des clous sur le bois afin qu'il y reste jusqu'à la fin des temps, ce sera encore moi, je saurai faire tout ce qu'il faudra. Un disciple pour le trahir. Ne cherchez pas, je suis là. Un disciple pour l'aimer. Voilà le plus douloureux de toute cette histoire, le plus mystérieux aussi, car enfin tu sais bien que ce sera moi.

CETTE NOUVELLE ÉDITION DE
JULIEN GREEN
A ÉTÉ ACHEVÉE D'IMPRIMER
EN AOÛT 1963
PAR NAUDEAU-REDON
A POITIERS (VIENNE).
DÉPÔT LÉGAL DE LA 1re ÉDITION : No 56.
3e TRIMESTRE 1957.
IMPRIMEUR, no 914.